S0-AIX-703

Przekroczyć granice

Pat Barker

Przekroczyć granice

Z angielskiego przełożyła
Zofia Uhrynowska-Hanasz

Świat Książki

Tytuł oryginału
BORDER CROSSING

Projekt graficzny serii
Anna Kłos

Redaktor prowadzący
Ewa Niepokólczycka

Redakcja
Katarzyna Solska

Korekta
Maciej Korbasiński
Elżbieta Jaroszuk

Copyright © by Pat Barker 2001
All rights reserved
Copyright © for the Polish translation by Zofia Uhrynowska-Hanasz 2004

Świat Książki
Warszawa 2004
Bertelsmann Media sp. z o.o.,
ul. Rosoła 10, 02-786 Warszawa

Skład i łamanie
Magraf, s.c., Bydgoszcz

Druk i oprawa
Zakłady Graficzne im. KEN, Bydgoszcz

ISBN 83-7391-174-X
Nr 4415

Dla Davida

Rozdział pierwszy

Szli nadrzeczną ścieżką, z dala od miasta, i – na ile mogli to ocenić – byli sami.

Kiedy się rano obudzili, panował dziwny spokój. Nad rzeką wisiały chmury, a nad bagnistymi równinami, które wyglądały jak spocone – zalegały mgły. Rzeka wycofała się do swojego pierwotnego koryta, a mewy śmigały nisko nad wodą. Domy, ogrody i ubrania nielicznych przechodniów wydawały się wyprane z wszelkiego koloru.

Ranek spędzili w domu, roztrząsając swoje nieuchwytne problemy, ale później, tuż przed samym lunchem, Lauren ni z tego, ni z owego, oświadczyła, że musi wyjść. Byłoby pewnie lepiej, gdyby podjechali samochodem, ale zamiast tego włożyli płaszcze nieprzemakalne i kalosze i wybrali się na spacer nadrzeczną ścieżką.

Mieszkali na skraju tętniącego niegdyś życiem terenu doków, przystani i magazynów, obecnie walących się i czekających na rozbiórkę. Do niektórych budynków wprowadzili się dzicy lokatorzy; inne uległy przypadkowym bądź zamierzonym pożarom i były obecnie zabezpieczone ogrodzeniami z drutu kolczastego i tabliczkami przedstawiającymi owczarki alzackie, a także napisami: „Uwaga, niebezpieczeństwo, wstęp wzbroniony".

Tom szedł ze wzrokiem wbitym w ziemię, cały czas słysząc cichy, ale nieustępliwy głos Lauren, który przypominał fale uderzające w spękany kamień i przegniłe drewno, odrywające kolejne kawałki Newcastle. Mówcie, trzeba mówić – radził klientom, którzy przychodzili do niego po pomoc w ratowaniu zagrożonego małżeństwa, a częściej po przyzwolenie na to, żeby ostatecznie machnąć na nie ręką. Teraz, w obliczu rozpadu własnego małżeństwa, myślał: zamknij się, Lauren. Błagam cię, zamknij się.

Kawałki niebieskiego plastiku, połówki cegieł, odłamane skrzydło mewy – wzrok Toma obejmował tylko parę metrów kwadratowych nierównego terenu, który jego stopy przemierzały rytmicznie.

Nie było żadnych innych granic i mimo że Tom nie podnosił głowy, by ich szukać, wiedział dobrze, że nie ma mostu, nie ma przeciwległego brzegu, nie ma magazynów ze złuszczonymi i pokrytymi pęcherzami farby nazwiskami dawnych właścicieli. To wszystko zniknęło. Przeleciała mewa, większa i ciemniejsza od innych, i Tom uniósł wzrok, by za nią podążyć. Być może to właśnie fakt, że skupił się wówczas na locie mewy, sprawił, że po latach, kiedy wracał w myślach do tamtego dnia, zapamiętał to, czego w żaden sposób nie mógłby zobaczyć: ścieżkę widzianą z lotu mewy. Mężczyznę i kobietę brnących przed siebie; mężczyzna idzie przodem, jakby chciał uciec, z rękami wetkniętymi głęboko w kieszenie czarnej kurtki; przed nim jasnowłosa kobieta w beżowej spowiałej kurtce – idzie i mówi, mówi, mówi. Mimo że czerwone wargi się poruszają, nie wydobywa się spomiędzy nich żaden dźwięk. We wspomnieniach odmawia jej swojej uwagi, tak jak było w życiu. Perspektywa wydłuża się, obejmując całą scenę, aż do spowitych w mgłę walących się magazynów, które wznoszą się nad nimi jak skały i spośród których wyłania się trzecia postać.

Młody mężczyzna zatrzymuje się, patrzy w stronę rzeki czy raczej niewielkiego mola, które przecinając bagna, sięga aż do głębokiego nurtu, i zaczyna iść w jego stronę. I właśnie w tym momencie, widząc we wspomnieniach to, czego nie widział w życiu, Tom zatrzymuje klatkę.

Bo w rzeczywistości to Lauren pierwsza zauważyła młodego mężczyznę.

– Popatrz – powiedziała, dotykając ramienia Toma.

Stali i obserwowali chłopaka, wdzięczni losowi, że jest coś, co odwróciło ich uwagę od własnych problemów, trochę zainteresowani i lekko zdziwieni zachowaniem innej ludzkiej istoty, ponieważ było w chłopaku coś dziwnego, co zauważyli oboje na kilka sekund przedtem, nim coś dziwnego zrobił. Jego adidasy zaryły się w żwirze, wydając jedyny dźwięk – poza ich własnym oddechem – i zaraz potem chłopak zaczął się ślizgać, dosłownie jadąc po przegniłych deskach mola. Zatrzymał się na samym końcu, spokojny, opanowany – czarna sylwetka w smugach mgły. Patrzyli, jak zrzuca kurtkę, zsuwa z nóg adidasy, ściąga bluzę przez głowę.

– Co on robi? – spytała Lauren. – Przecież chyba nie będzie pływał?

A w tym miejscu, owszem, ludzie się kąpali: w lecie chłopcy skakali do wody z końca mola, ale chyba nikomu, na miłość boską, nie przyjdzie do głowy pływać w taki chłodny, ponury dzień? Wyglądało na to, że chłopak wysypał sobie na rękę jakieś pigułki, a potem wrzucił je do ust i cisnął słoiczek daleko do wody, w której sam znalazł się jeszcze wcześniej. Dał głębokiego, potężnego nurka, prawie nie rozpryskując wody. Niemal natychmiast wynurzyła się jego głowa, kołysząc się na fali, która zabrała go dalej od brzegu.

Ale Tom biegł już w jego stronę, rozdeptując ze zgrzytem potłuczone szkło, omijając kawały cegieł, przeskakując sterty śmiecia. W pewnym momencie stracił równowagę i o mało nie upadł, ale natychmiast poderwał się i pobiegł dalej po śliskich, zdradliwych deskach mola.

Wreszcie dotarł na sam koniec i majstrując przy guzikach, spojrzał w martwą toń. Niech to szlag – pomyślał. To było właśnie to, co ludzie zwykle myśleli w obliczu nagłej śmierci. Niech to szlag. I pieprzyć to wszystko. Przybiegła zdyszana Lauren, ale nie odezwała się nawet słowem. Nie powiedziała ani „Daj spokój", ani „Uważaj", ani nic w tym rodzaju, za co był jej bardzo wdzięczny.

– Jest wrzesień – rzekł w odpowiedzi na coś, co mogłaby powiedzieć. Miał na myśli to, że woda nie będzie morderczo zimna.

W chwilę później zamknęła się nad nim trumna lodowatej wody. Jego umysł skurczył się w spazmie strachu, stając się niemym ukłuciem świadomości, gdy tymczasem on sam zmagał się z rzeką, która wciągała go w głąb, miotała nim, waliła po twarzy na odlew, z jednej i z drugiej strony, jak śledczy, który chce zmiękczyć ofiarę.

Po kilku pierwszych niezdarnych uderzeniach ramion zaczął się przyzwyczajać do chłodu. Przynajmniej zimniej już nie będzie. Rozejrzał się dokoła i nie widząc nigdzie ciemnej głowy, pomyślał:

dobrze, wychodzę z wody, dzwonię na policję i niech dragują rzekę albo niech czekają, aż woda wyrzuci ciało. I wtedy zobaczył chłopaka, jak wolno dryfuje z prądem w odległości jakichś dziewięciu czy dziesięciu metrów od niego.

Nagle nalało mu się wody do ust, słonej, drapiącej w gardło, a prąd zepchnął go w głąb. Przed oczami miał uciekające w górę bąbelki wydychanego powietrza. Energicznymi ruchami nóg wydostał się na powierzchnię, bliżej topielca. Sina twarz, przesłonięta kosmykiem czarnych włosów. Prąd w każdej chwili groził Tomowi zniesieniem z kursu, zaczął więc panicznie młócić wodę rękami, jak tonący pies. A potem świadomie zanurzył się z głową i wtedy, niejasno, w gęstym brunatnym świetle zobaczył zawieszonego w wodzie chłopca, z którego otwartych ust ulatywały bańki powietrza. Schwytał go za ramiona i wypchnął do góry, a kiedy się wynurzyli, spazmatycznie nabrał powietrza, płynąc, cały czas płynąc, podczas gdy dokoła ich dryfujących głów kołysało się niebo. Oddychał głęboko, rzeka jak gdyby ściskała mu piersi. Teraz było mu wszystko jedno, czy chłopak żyje, czy nie. Determinacja, by go wyciągnąć z wody, była równie bezmyślna jak mechanizm aportowania kija u psa. Prąd utrudniał mu wykonanie zwrotu z takim obciążeniem, ale na widok biegnącej ścieżką Lauren, zaczął holować do brzegu chłopca, którego oczy pełne były nieba i rzecznej wody. Początkowo postęp był bardzo powolny, a potem w nieoczekiwany, niemal cudowny sposób Tom poczuł, że jakiś inny prąd przyciąga go do lądu. Wreszcie zniosło ich do cuchnącej zatoczki, pełnej śmieci, które wyrzucił tu nurt rzeki. Wózek sklepowy, poskręcane prezerwatywy, foliowe tacki, plastikowe butelki. Tom przebił głową śmierdzący kożuch. Gęsta, czarna, tłusta maź niczym nie przypominała zwykłego błocka wiejskich dróg, które na koniec dnia zeskrobujemy z butów, tylko groźne, Bóg wie jak głębokie wsysające grzęzawisko. Lauren wyciągnęła do Toma rękę.

– Nie podchodź! – krzyknął.

Na brzegu leżało wyrzucone przez nurt drzewo i Lauren uczepiła się go z całej siły. Tom zaczął brnąć w jej stronę, starając się równo rozkładać ciężar własnego ciała i wlokąc za sobą chłopaka. Muł lepił mu się do łokci i kolan. Rozczapierzone palce Lauren wydawały się odległe o kilometr, a przecież i tak nie miałaby siły go wyciągnąć, nawet gdyby zdołał do niej dotrzeć. Odór i smak mułu wypełniały mu nos i usta; Tom był w pełni świadom tego, że nie chce umierać, a dokładniej, że nie chce umierać w ten sposób. Serce mało nie rozsadziło mu piersi, kiedy brnął naprzód, zdziwiony, że nowe podłoże jest twardsze, niż przypuszczał. Lauren, w dalszym ciągu uczepiona pnia, wyszła mu naprzeciw, brodząc po kolana. Jego wyciągnięte palce zagięły się na jej palcach, ale zaraz się z nich ześlizgnęły.

– Złap się mojego rękawa – zawołała. Tom wiedział, że powinien trzymać usta chłopca nad powierzchnią mulistej mazi, ale nie było mowy, żeby mógł spełnić ten warunek, jednocześnie wlokąc bezwładne ciało. Jeszcze kilkanaście centymetrów i mógł uchwycić się kurtki Lauren. Był tak wyczerpany, że przez chwilę leżał, ciężko dysząc, zanim zaczął znów pełznąć, aż wreszcie jego ręka zamknęła się na gałęzi powalonego drzewa. Spróbował, czy drzewo jest mocno osadzone w ostrodze rzeki, po czym wstał wolno, wyciągając chłopaka z mułu, który zaprotestował głośnym mlaśnięciem. Tom leżał, ciężko dysząc, z głową i ramionami na trawie, z nogami w dalszym ciągu w szlamie. W pewnym momencie powiedział sobie, że zadanie nie zostało wykonane do końca, i obejrzał się za siebie. Chłopak leżał, czarny i błyszczący, jakby utworzony z mułu. Lauren uklękła koło niego, podtrzymując mu głowę, podczas gdy Tom palcem wygarniał mu z ust wszelkie zanieczyszczenia, żeby się upewnić, że drogi oddechowe ma wolne. Następnie dwoma palcami przycisnął mu oślizgłą szyję, ale zdrętwiałe z zimna ręce nie czuły dosłownie nic. Przesunął palce i nacisnął mocniej.

– Jest? – spytała Lauren.

– Nie.

– Cholera.

Bez chwili wahania położyła dłonie na piersi chłopaka, jedną na drugiej, i zaczęła uciskać. Tom odchylił mu głowę do tyłu i pokonując chwilowe obrzydzenie, które go zdziwiło, ścisnął chłopakowi nos, przytknął usta do sflaczałych warg i zaczął tłoczyć powietrze. Przez rozstawione palce lewej dłoni poczuł wznoszenie się i opadanie klatki piersiowej. Zrobił przerwę, policzył, zaczerpnął tchu i ponownie zaczął dmuchać. Kiedy Lauren kolejny raz nacisnęła klatkę piersiową, usta chłopca drgnęły pod jego ustami. Tom słyszał, jak Lauren stęka z wysiłku. Tym razem, uniósłszy głowę, spojrzał na nią. Oczy miała zamglone, skierowane do wewnątrz. Jakby rodziła – pomyślał i uderzyła go ironia tego porównania, gorzka jak smak mułu na jego języku. Chłopak wyglądał jak noworodek: sina twarz, mokre włosy i ten wyraz topielca, jaki mają nowo narodzone dzieci, rzucone nagle na pomarszczony, gąbczasty brzuch matki. Zajęty swoimi myślami i wspomnieniami, Tom dmuchnął za mocno, zorientował się, że w piersi chłopaka dzieje się coś niedobrego i że stracił oddech, przerwał na chwilę, uregulował rytm swojego oddechu, policzył i wznowił pracę. Powietrze uwięzło w gardle chłopaka. Tom ponownie nacisnął palcami arterię szyjną i wydawało mu się, że wyczuł leciutkie trzepotanie.

– Jest.

Czekali, ale Lauren przez cały czas trzymała ręce na piersi topielca, w każdej chwili gotowa wznowić uciskanie. Jeden oddech, potem drugi. I jeszcze jeden. Trudno było powiedzieć, czy policzki chłopaka odzyskują kolor, ponieważ całą twarz miał pokrytą mułem.

– W porządku – powiedziała Lauren. – Teraz obrócimy go na bok.

Unieśli go razem i ułożyli we właściwej pozycji. Lauren wstała i otrzepała kolana z drobnego żwiru, wypatrując na ścieżce jakiejś ludzkiej istoty, ale mgła zrobiła się tak gęsta, że wszyscy siedzieli w domach i nie było kogo posłać po pomoc.

– Najszybciej będzie, jeśli pobiegnę do domu – powiedziała.

– Nie, ja pójdę.

– Ty lepiej zostań.

W jej głosie pochwycił coś, co go zaniepokoiło.

Spojrzał po sobie i stwierdził, że ma na ręce rodzaj czerwonej rękawiczki. Krew zaschła mu na palcach, które wydawały się sztywne i lepkie. Nie przypominał sobie, żeby się skaleczył, ale musiał robić wrażenie rozdygotanego, bo Lauren zapytała:

– Czy jesteś pewien, że dasz sobie radę?

– Tak, idź.

12

Patrzył, jak rusza ścieżką, wysoka, jasna blondynka, i jak nagle znika we mgle, która tymczasem zgęstniała, otulając dosłownie wszystko i pachnąc metalem, a ściślej, żelazem – chyba że był to zapach krwi zaschniętej na jego ręce. Chłopak miał zamknięte oczy. Tom sprawdził mu puls i pokuśtykał po ostrym żwirze do mola, na którego końcu zostawił swoją kurtkę i niewielką kupkę jego ubrań. Przez chwilę stał nieruchomo, patrząc na wodę. Muł wydzielał silny, ostry smród. Tom czuł, jak jego skóra ociera się o mokre ubranie, i był szczęśliwy.

Ale to uniesienie zniknęło, kiedy wracał, potykając się o dyndające rękawy, niby nowożeniec w starej farsie. Skaleczenie ręki zaczęło boleć. Uklękł koło chłopca i otulił go grubszą kurtką, a sam skulony pod cieńszą, mamrocząc „Wracaj, Lauren, wracaj", kołysał się w przód i w tył. Był zbyt zmarznięty na to, żeby cokolwiek myśleć czy czuć.

Kilka minut później usłyszał silnik, a potem głosy. Uniósł wzrok i zobaczył, jak dwoje ubranych na czarno lekarzy schodzi z noszami po rozsypujących się schodkach. Przedzierali się wzdłuż brzegu, odgarniając łokciami pędy wikliny. Dzięki Bogu będzie mógł się wreszcie odmeldować, wziąć gorącą kąpiel, strzelić sobie jedną whisky, dwie whisky, i wycofać się z powrotem w swoje życie.

Pierwsza dotarła do niego przysadzista kobieta z silnie umalowanymi brwiami, za nią podążał, zdyszany od wysiłku, mężczyzna o byczym karku i z rudym wąsem.

– Mój Boże – powiedziała kobieta, klękając. – Nie podobał ci się, synu, ten sobotni ranek, co?

Pracowali szybko. W ciągu paru minut zdjęli z niego kurtkę, sprawdzili puls i oddech, okryli go kocami i dowiedzieli się, że ani Tom, ani Lauren nie wiedzą, kim jest chłopak.

– Wyszliśmy właśnie na spacer – wyjaśniła Lauren.

– Miał szczęście.

Delikatnie przełożyli chłopaka na nosze i brzegiem rzeki ruszyła niewielka kawalkada. Głowę miał ukrytą w fałdach czerwonego koca i stanowił jedyną plamę koloru na tle bezmiaru czarnego mułu. Kiedy dotarli do stopni, Tom wysunął się naprzód, dyskretnie pomagając unieść nosze. Błoto na twarzy chłopaka zaczęło wysychać i pękać, przypominając rytualną maskę albo wyjątkowo ciężki przypadek łuszczycy.

Karetka pogotowia stała zaparkowana w pobliżu stopni. Para lekarzy przeniosła nosze po żwirze i na chwilę postawiła je na ziemi, żeby otworzyć drzwi ambulansu. W ostatniej chwili, kiedy już mieli wsunąć nosze do środka, chłopak poruszył się i jęknął.

– Wszystko będzie dobrze. – Tom dotknął jego ramienia, ale chłopak nie dał żadnego znaku, że cokolwiek usłyszał.

– Jeśli pan chce, żeby opatrzyć panu ranę – kobieta wskazała gestem rękę Toma – to może się pan z nami zabrać. Jeśli pan chce.

– Nie, dziękuję. Zgłoszę się do mojego lekarza.

– Dokąd go zabieracie? – zapytała Lauren.

– Do Głównego.

Silnik karetki pracował cały czas. Tom zwinął rzeczy chłopaka w tobołek i wręczył kobiecie. Drzwi zatrzasnęły się. Tom i Lauren stali i patrzyli, jak ambulans podskakuje na wybojach, jak kluczy, omijając najgorsze dziury, a następnie jak, już na gładkim asfalcie, przyspiesza i ginie za zakrętem.

Rozdział drugi

Po odjeździe karetki pogotowia Tom wrócił na pomost, ukląkł na samym końcu i zaczerpnął trochę wody, żeby przynajmniej z grubsza obmyć skaleczoną rękę. Od rzeki ciągnęło chłodem, rybami i zgnilizną, ale po chwili zorientował się, że źródłem odoru jest nie tylko woda, ale także jego ubranie, jego skóra, włosy. W drodze powrotnej nie odzywali się do siebie. Tom nawet nie zadał sobie trudu, żeby włożyć adidasy, i wobec tego ostre kamyki uwierały go w stopy. Gdy tylko znaleźli się w domu, Lauren zabrała go na górę, żeby mu obejrzeć rękę.

– Nie wygląda tak źle – powiedziała, przypatrując się ranie.

– Takie rzeczy zawsze wydają się gorsze, niż są w rzeczywisto-ści – odparł Tom, nie mogąc się doczekać końca oględzin.

Lauren przemyła mu skaleczenie środkiem odkażającym, a kiedy brzegi rany stały się białe, zsunęła je razem i położyła gotowy wodoodporny opatrunek. Przez cały czas nic nie mówiła, tylko oddychała głośno, tak jak to robią dzieci w chwilach wielkiej koncentracji. Tomowi przypomniały się zabawy w doktora i pielęgniarki z nieco starszymi od niego kuzynkami. Zawsze był wtedy pacjentem, ale nie pamiętał, żeby kiedykolwiek zajmowały się jego dłońmi. W pełnym skupienia bezosobowym spojrzeniu Lauren było coś erotycznego, co sprawiło, że położył wolną rękę na jej biodrze.

– Gorąca kąpiel – powiedziała, zamykając apteczkę pierwszej pomocy – zrobi ci znacznie lepiej niż whisky.

Zrezygnowany, zdjął mokrą odzież. Lauren stała pochylona nad wanną i z twarzą wilgotną od pary mieszała wodę.

15

– Jak myślisz, czy będzie z nim wszystko dobrze?

– To zależy, co wziął. Jeśli prozac, to tak; jeśli paracetamol, to nie.

– Czy uważasz, że powinniśmy tam zadzwonić?

– Nie. Zrobiliśmy, co było można. Teraz to już nie nasz problem.

– Zaniosę to do prania – powiedziała Lauren, biorąc jego rzeczy. Widział wyraźnie, że jest zawiedziona. Chciała na ten temat pogadać, omówić to wspólne z Tomem, ale jednak odrębne doświadczenie, nadać mu pewien szlif, sprawić, by stało się doświadczeniem ich, a nie jego i jej. Ale on był przyzwyczajony do wyłączania się, do życia własnym życiem w odrębnym pomieszczeniu. Bardzo wcześnie, bo już w pierwszych miesiącach praktyki, zorientował się, że ci, którzy przynoszą nieszczęścia ze sobą do domu, szybko się wypalają i stają się w końcu całkowicie bezużyteczni dla innych. Nauczył się cenić dystans, pewien okruch lodu w sercu klinicysty. Dopiero znacznie później zrozumiał, że i temu nie można w pełni zaufać. Że ten okruch zwiększa z czasem swoją objętość i zagłusza osobowość. Okruch lodu? Miał kolegów, którzy mogliby zatopić „Titanica".

Niepewnie zanurzył w wodzie obolałe ramiona. Patrząc wzdłuż swojego ciała, zatrzymał wzrok na członku. Był lekko nabrzmiały od gorąca, błyszczący i kołysał się wśród piany jak walcowata ryba. Halo, jak się masz – pomyślał, wpadając w środkowoatlantycki akcent, którego używał, kiedy chciał się odciąć od bólu.

– Rozgrzałeś się trochę? – zapytała Lauren, wchodząc do łazienki ze stertą ręczników.

– Trochę. Dlaczego nie wejdziesz? Musisz być okropnie zmarznięta.

Rzuciwszy ubranie na kupkę koło drzwi, weszła do wanny, ostrożnie zanurzając się w wodzie.

– Auuu.

– Przepraszam. – Tom zawsze zapominał, że to, co dla niego było „gorącą kąpielą", dla Lauren oznaczało gotowanie się żywcem. – Dolać zimnej wody?

– Nie, już jest dobrze.

Czuł na plecach jej oddech jako serię małych pojedynczych eksplozji, a na łopatkach ucisk piersi. A potem ręka Lauren zaczęła się skradać, powoli, aż pojawiła się nagle między jego udami, gdzie znalazła jądra.

– To nie fair – powiedział. – Ja nie mam dostępu do niczego. – Szukając po omacku pod ramieniem, znalazł sutek i poczuł w klatce piersiowej wibrowanie jej śmiechu. Przez myśl przeleciało mu jak błyskawica wspomnienie czarnej, zimnej mazi, która go wsysała.

– Chodźmy do łóżka, Lauren.

Wytarli się nawzajem i pognali na górę, gdzie zdyszani runęli na łóżko. Jej oko, znajdujące się w odległości niespełna trzech centymetrów od jego oka, przypominało szarą rybę, schwytaną w sieć żyłek. Po raz pierwszy od wielu miesięcy ani nie wiedział, ani nie dbał o to, w którym dniu cyklu jest akurat Lauren. Cała ta historia nie miała nic wspólnego z owulacją, zapłodnieniem czy wreszcie – jeśli miał być szczery – z kochaniem. Ale za to bardzo wiele z chwilą, w której zobaczył ciało chłopca, zawieszone pionowo w wodzie jak preparat w słoju z formaliną i połączone z powierzchnią wody pępowiną srebrzystych banieczek powietrza, uchodzących ze zwiotczałych ust. Miał go teraz przed oczami. Granice ciała i kości jak gdyby zniknęły i Tom patrzył na własną śmierć.

Potem leżeli obok siebie jak średniowieczny rycerz i dama na sarkofagu.

– Przepraszam – powiedział. Zorientował się, że nie miała orgazmu.

– Nic nie szkodzi.

Poczuł, że łóżko drga, wiedział, że płacze.

– Lauren...

Usiadła.

– Czy zdajesz sobie sprawę, że ryzykowałeś życie dla jakiegoś całkiem obcego dupka?

Gdyby w jej słowach była choćby odrobina podziwu, czułby się w obowiązku wyśmiać tę uwagę, powiedzieć, że wiele razy w życiu pływał dalej, ale jej ton był agresywny i wobec tego odpowiedział tym samym.

– Nie było wyboru.

Uparta cisza.

– Gdybym nie miał pewności, że dobrze pływam, tobym nie ryzykował. A poza tym nic mi nie jest.

Nie była na niego zła o to, że skoczył do rzeki. Była zła z powodu nieudanego seksu i tego, że nie potrafił jej zapłodnić.

– Napijmy się, dobrze?

Nie oczekiwał, że Lauren będzie mu towarzyszyła na dół, i rzeczywiście nie towarzyszyła. Gdyby tylko ciąża nie stała się jej obsesją. Przypominała mu jeden z gatunków ryb, którego samiczki w okresie zagrożenia ze strony środowiska rezygnują z seksu i noszą narządy płciowe samców w specjalnych umieszczonych na bokach kieszonkach. Pieprzyć to – pomyślał, żłopiąc whisky. Miał serdecznie dość bycia chodzącym i mówiącym bankiem spermy.

Jego matka (nie to, żeby znała szczegóły, dzięki Bogu!) uważała, że przyczyną niepowodzeń Toma i Lauren jest ich nowy tryb życia. W ciągu ostatniego roku Lauren pracowała w Londynie, ucząc w St Margaret's School of Art, i przyjeżdżała do domu tylko na weekendy.

– Mąż i żona powinni być razem – powiedziała matka Toma, obwąchując ściereczkę, którą wycierała szklankę.

– Ty i tata byliście osobno, kiedy ojciec służył w wojsku.

– No i nie powiem, żeby to wyszło rodzinie na dobre – odcięła się matka.

Ale dziś małżeństwa są inne – wyjaśnił jej syn. Kobiety nie mają zamiaru poświęcać dla mężów kariery zawodowej.

– Małżeństwo nie zmienia aż tak wiele, jak sądzisz. Lepiej by się wam wiodło, gdybyście trzymali się razem.

Tom machnął ręką; matka była zbyt staromodna. Dziś sprawa nie wydawała się taka prosta. W gorszych chwilach zastanawiał się, czy przypadkiem jego separacja z Lauren nie jest już faktem, mimo że nigdy na ten temat nie rozmawiali. Mógł z nią jechać do Londynu. Miał akurat wtedy urlop naukowy i pisał książkę, stanowiącą podsumowanie trzyletniej pracy badawczej, a książki można pisać wszędzie. Mógł spokojnie przesyłać do kolegów e-mailem poszczególne rozdziały z prośbą o komentarze, a gdyby mimo to potrzebował spotkania, to w każdej chwili mógł przyjechać na dwa czy nawet na kilka dni. Ale nie pojechał, wolał zostać tutaj. I od tamtej pory z miesiąca na miesiąc ich seks się pogarszał. Kładł to na karb termometrów, kalendarzy, nocników pełnych moczu i zgoda, rzeczywiście uznał to wszystko za dostatecznie zniechęcające, ale było jeszcze coś, czego nie chciał przyznać. Może po prostu głosował... no cóż, nie nogami.

– Dlaczego? – zapytała Lauren po jednym z dość częstych niepowodzeń.

– Nie wiem.

No cóż, nie będzie się nad tym zastanawiała. Ostatecznie to on jest psychologiem, na miłość boską. Jego sprawa wiedzieć dlaczego.

Łyknął lampkę whisky i zabierał się do następnej, kiedy do kuchni weszła Lauren i objęła go ramionami.

– Wiesz co – powiedziała – to, co zrobiłeś, było naprawdę nadzwyczajne. Przepraszam cię.

– Za co?

– Za to, że byłam na ciebie o to wściekła.

Nagle oboje wybuchnęli śmiechem i przez chwilę było wszystko w porządku.

Był późny wieczór, kiedy przypomniał sobie o poczcie. Wychodził wczoraj z domu, w wielkim pośpiechu, żeby się nie spóźnić na pociąg Lauren; nie chciał, żeby samotnie czekała na peronie. W odległości paru metrów od drzwi spotkał listonosza, który wręczył mu korespondencję. Tom, nawet na nią nie patrząc, wsadził koperty do kieszeni kurtki i – zajęty roztrząsaniem problemów małżeńskich – zupełnie o nich zapomniał.

Lauren wkładała właśnie naczynia do zmywarki.

– Co zrobiłaś z moją kurtką, kochanie? – zawołał na dół.

– Powiesiłam w schowku.

Zorientował się już w chwili, kiedy zdejmował kurtkę z wieszaka. Zaleciał go zapach rzecznego mułu, pomieszanego ze starym tytoniem. Wsadził rękę do prawej kieszeni i wyjął paczkę papierosów. Natychmiast zrozumiał, co się stało. Własną kurtką, jako grubszą, otulił chłopaka i ta właśnie kurtka odjechała z nim karetką pogotowia. Musiał się spieszyć, w kieszeni miał zapasowe klucze od mieszkania, a na kopertach – tak, o Boże, adres. Wprawdzie w stanie, w jakim znajdował się chłopak, nie myśli się o włamaniach, ale nigdy nie wiadomo. Przede wszystkim nie wiadomo ani kim, ani czym był. Mógł być na przykład narkomanem, rozpaczliwie potrzebującym gotówki.

– Wygląda na to, kochanie, że zamieniłem płaszcze. Muszę jechać do szpitala.

– A to takie pilne?

– No, niespecjalnie. Ale miałem w kieszeni listy.

Nie chciał jej niepokoić, mówiąc o kluczach.

Do Szpitala Głównego miał niedaleko, ale musiał liczyć jeszcze z piętnaście minut na zaparkowanie samochodu. Były to godziny odwiedzin, więc w każdym dozwolonym i niedozwolonym miejscu samochody stały zderzak w zderzak.

Na oddziale nagłych wypadków panował tłok. Na ławeczce niedaleko drzwi siedział młody człowiek z rozerwanym uchem i zbroczoną krwią szyją i rozglądał się dokoła z wyrazem bezosobowej wojowniczości. W pobliżu młody chłopak, którego głos osiągał niespotykane rejestry, starał się uspokoić kobietę w średnim wieku.

– Cicho, mamo. Niech on nie widzi, że jesteś zdenerwowana.

– Zdenerwowana? Ja pokażę sukinsynowi, co znaczy zdenerwowana...

Nieopodal na wózku wydawał ostatnie tchnienie mężczyzna z niebieskimi bliznami na grzbietach dłoni, typowymi dla górników.

– Sala osiemnasta – powiedziała pielęgniarka, na krótko unosząc głowę między jedną a drugą katastrofą.

Poszedł korytarzem do sali osiemnastej i przystanął przy dyżurce pielęgniarek. Jakiś stary mężczyzna, siedzący na wózku u wejścia do jednej z sal, złapał za pośladek przechodzącą pielęgniarkę.

– No, Jimmy – skarciła go – bądź grzeczny. – Stary zarechotał w wybuchu zdemenciałej radości i złapał następną. Uważaj, bo jak nie będziesz grzeczny, to cię tu zaraz załatwią – pomyślał Tom.

Skrzypiąc gumowymi podeszwami, podeszła do niego wysoka, tęga kobieta z kosmykami cieniutkich włosów, które wymknęły jej

20

się z koczka na czubku głowy, z okularami zwisającymi na złotym łańcuchu i z ogólnym wyrazem końskiej dobroduszności.

– Jak się masz, Tom!

Mary Peters. Nie mógł sobie wymarzyć na swojej drodze nikogo lepszego.

– Jak się masz, Mary. Szukam niedoszłego samobójcy, którego przywieźliście dziś rano. Całkiem młody chłopak.

Mary mrugnęła do Toma.

– A, tak, wiem. To jeden z twoich?

– Nie, tym razem to nie jest wizyta o charakterze zawodowym. – Tom był lekko speszony. – To ja go wyciągnąłem z wody. Tylko że jakoś w tym zamieszaniu jemu się dostała moja kurtka. A mnie jego.

– Tak, jest twoja kurtka. I listy. Masz szczęście – powiedziała, prowadząc go korytarzem. – Pielęgniarka przeczytała twoje nazwisko i adres na kopertach i pomyślała, że to jego. O mały włos to ty zostałbyś przyjęty do szpitala. – Mary zatrzymała się przed jakimiś drzwiami. – Na szczęście w porę odzyskał przytomność. Nazywa się Ian Wilkinson. – Poklepała się po gardle. – Ale nie bardzo ma ochotę mówić.

– A co on zażył?

– Temazepam. Wydaje mu się, że około dziesięciu tabletek.

Leżący na łóżku młody mężczyzna spojrzał na Toma i zbladł. Tom był zdumiony jego reakcją, a także własnym uczuciem, że skądś go zna. To jasne, że w ciągu roku miał do czynienia z wieloma młodymi ludźmi o najróżniejszych zaburzeniach... Jednak jakoś z grubsza ich kojarzył. Nie miał pamięci do twarzy, ale pamiętał nazwiska. Ian Wilkinson. Nie, to mu nic nie mówiło.

– To jest doktor Seymour – powiedziała Mary – który cię uratował. Myślę, że... – nie dokończyła, zauważywszy panującą w pokoju atmosferę. – Może lepiej – dodała po chwili – zostawię was samych. – Przy drzwiach odwróciła się jeszcze. – Twoja kurtka jest w szafie, Tom, jak będziesz wychodził.

– Dzięki – odparł Tom, odwracając się akurat w chwili, kiedy zamykała za sobą drzwi.

Chłopak podciągnął się na łóżku, jakby w pierwszym odruchu chciał uciekać. Kolory mu nie wróciły.

– Pan mnie nie poznaje, prawda? – powiedział. – To chyba dla mnie lepiej.

– Cały byłeś oblepiony mułem.

– Nie, to znaczy wcześniej... – Głos chłopaka był zachrypnięty... – Miałem wtedy dziesięć lat. Pan nie pamięta, pan... O mój Boże – pomyślał Tom. Usiadł ciężko na krześle koło łóżka.

– Danny Miller.

– Tak.

Po wymówieniu tego nazwiska innym wzrokiem spojrzał na chłopaka. Z sekundy na sekundę spod ostrych kości policzkowych i płaszczyzn twarzy człowieka dorosłego wyłaniała się okrągła dziecięca buzia, jak dawno zatopione ciało.

– Przepraszam – powiedział Tom – ja nawet nie wiedziałem, że wyszedłeś.

– Bo to było utrzymywane w tajemnicy, jak się nietrudno domyślić. I... – Skinął głową w stronę drzwi.

– Tak, oczywiście. Nowe nazwisko.

– Ian to było drugie imię naczelnika więzienia. Wilkinson – panieńskie nazwisko matki kapelana. – Jego głos był całkowicie pozbawiony wyrazu.

– Od jak dawna jesteś na wolności?

– Od dziesięciu miesięcy.

– Nie będę pytał, jak ci idzie.

Danny – Tom nie mógł myśleć o nim jako o Ianie – przez chwilę robił wrażenie przestraszonego, po czym wybuchnął śmiechem. W chwilę później nacisnął ręką gardło.

– Rura.

– Przez kilka dni będzie podrażnione.

Kiedy Danny odzyskał głos, powiedział:

– Jak pan ocenia szanse, że coś takiego mogło się zdarzyć?

– Że się spotkamy w taki sposób? Jak milion do jednego.

– Daje do myślenia, prawda?

I rzeczywiście dawało. Tom właśnie się zastanawiał, czy był to autentyczny przypadek, czy nieudany dramatyczny gest, niemal tragiczny w skutkach. Dramatyczne gesty tego rodzaju nie należą do rzadkości i bardzo często okazują się nieudane, ponieważ ludzie, którzy się na nie decydują, zwykle drastycznie źle oceniają sytuację. Ale żeby uwierzyć, że to spotkanie było zaplanowane, musiałby najpierw uwierzyć, że Danny z jakichś niejasnych powodów go namierzył, po czym, zamiast po prostu przyjść, postanowił dać o sobie znać, skacząc do rzeki. Ale to nie miało najmniejszego sensu.

– Pan rozumie, jak coś takiego się wydarzy – powiedział Danny – człowiek dochodzi do wniosku, że sprawy nie dzieją się przypadkowo. Że we wszystkim jest jakiś cel.

Tak, to możliwe – pomyślał Tom. – Ale czyj?

– Ja tak nie myślę.

– Zna pan tego kapelana, o którym wspomniałem? On zawsze mówił, że zbieg okoliczności to pęknięcie w ludzkich poczynaniach, przez które dostaje się Bóg albo szatan.

Tom się uśmiechnął.

– Myślę, że to, czego często brakuje ludzkim poczynaniom, to odrobina zdrowego rozsądku.

Na chwilę zaległa cisza. Wydawało się, że w bardzo krótkim czasie sięgnęli bardzo głęboko. Jak gdyby czytając w myślach Toma, Danny powiedział:

– Przynajmniej nie rozmawiamy o pogodzie, zjadając wszystkie winogrona.

Nie było żadnych winogron. Żadnych odwiedzających. Tom rozejrzał się po gołym, ponurym pokoju, wiedział, że nie może tak po prostu wziąć kurtki i wyjść.

– Kiedy mają cię wypuścić ze szpitala?

– Jutro.

– Jedziesz do domu?

– Nie. Mieszkam w akademiku. Jestem studentem.

– Co studiujesz?

– Angielski.

– Czy masz kogoś, z kim mógłbyś porozmawiać?

Wzruszenie ramion.

– Tylko kuratora sądowego, Martę Pitt.

– Aha, tak, znam Martę. Czy mam do niej zadzwonić i powiedzieć jej, że tu jesteś?

– Nie, szkoda zachodu. Jest weekend. Ona i tak ma dosyć kłopotów ze mną. W ostatni weekend ścigała mnie przez Góry Pennińskie. Uciekłem z powrotem do więzienia.

– Wróciłeś do więzienia?

– Tak, wiem. Trzeba być wariatem, prawda?

– Co się stało?

– Powiedzieli mi, żebym spieprzał. I wtedy naczelnik zadzwonił do Marty, i ona po mnie przyjechała i mnie zabrała.

– I to wtedy...?

– Zdecydowałem się na kąpiel? – Odwrócił wzrok. – Nie wiem. Może. Ale to nie pomogło.

Tom zastanawiał się przez chwilę.

– Jeśli uważasz, że ci się to przyda, to mógłbyś przyjść do mnie porozmawiać. Zupełnie nieoficjalnie, tak po prostu pogadać.

Danny uśmiechnął się.

– O dawnych czasach?

– Obojętne o czym.

Uśmiech zniknął z twarzy chłopaka.

– Owszem, chętnie.

– Dam ci adres. – Tom wydarł kartkę z notatnika, zapisał na niej adres i po chwili namysłu dodał jeszcze numer telefonu. Musi mu wyznaczyć jakiś nieodległy termin, żeby Danny miał przed sobą konkretną datę. Wyjście ze szpitala po nieudanej próbie samobójczej to bardzo niebezpieczny moment. – A co byś powiedział na wtorek wieczór, na przykład około ósmej? Gdyby coś się zmieniło, to zadzwoń, dobrze?

– Dzięki. – Danny złożył kartkę. – Pana listy są w szafie. Miałem zamiar je zwrócić. I kurtkę też.

Danny zrobił się bardzo układny, chciał przekonać Toma o swojej uczciwości. Ostatecznie dwanaście lat spędził, bezpiecznie przystosowując się do tego, by zapomnieć o przeszłości. Więcej niż połowę życia. Co oni zrobili z niego? Co zrobili z nim? Zainteresowanie Toma było po części czysto zawodowe. Nieczęsto zdarza się okazja, by śledzić dalej przypadek taki jak Danny'ego, ale jednocześnie Tom w jakiś sposób troszczył się o tego nieznanego młodego człowieka, którego twarz i osobowość wciąż kryły w sobie dziecko, którym kiedyś był.

Biorąc z szafy kurtkę, poczuł intensywny zapach mułu rzecznego i zgnilizny.

– Nie włoży jej pan bez czyszczenia – powiedział Danny.

– A ty nie włożysz tej – odparł Tom, chowając do szafy zwiniętą kurtkę Danny'ego. – No, to do wtorku.

Danny uniósł rękę, ale opadł na poduszki, robił wrażenie, jakby nie mógł mówić. Tom cicho zamknął za sobą drzwi.

Mary Peters stała przy okienku dyżurki i rozmawiała z siostrą oddziałową. Grzeczność wymagała, żeby się zatrzymał i powiedział do widzenia.

– No i jak poszło?

– Wszystko w porządku. Chłopak okazał się moim dawnym pacjentem. Nie widziałem go od lat.

Mary najwyraźniej zadowoliła się tą odpowiedzią. A Danny rzeczywiście się zmienił. Nie było powodu obawiać się, że zostanie rozpoznany przez kogokolwiek, kto trzynaście lat temu widział tylko jego szkolne zdjęcie w gazetach czy w telewizji. Ostatecznie nawet on go nie poznał, a przecież jego kontakt z Dannym znacznie wykraczał poza obejrzenie jego zdjęcia.

Idąc przez parking, czuł się otępiały i na chwilę zatrzymał się pod wypranymi z koloru drzewami. Przypomniał mu się inny parking, w czerwcu, podczas fali upałów. Przyjechał do zakładu karnego, w którym przebywał Danny, na dwadzieścia minut przed terminem widzenia i wolał zaczekać na zewnątrz niż w jakimś ponurym pomieszczeniu więziennym. Słońce prażyło z góry i samochód szybko zamienił się w rozgrzany piec. Zostawił więc drzwi otwarte i spacerował wzdłuż ogrodzenia, słuchając przez radio rozgrywek krykietowych. Nie potrzebował zapoznawać się z notatkami, wysypującymi się z teczek leżących na tylnym siedzeniu samochodu. Znał je prawie na pamięć i w pewnym sensie jego zadaniem było teraz je zapomnieć. Główna pułapka w ocenianiu stanu psychicznego przestępcy polega nie tyle na opisaniu symptomów konkretnego człowieka, ile na sporządzeniu raportu, który by pasował do popełnionego przestępstwa.

Zalewający go po długiej podróży pot wysechł już pod pachami i w pachwinach. Tom stał w otoczeniu rabat jaskrawoczerwonej trytomy, dosłownie setek koraloworóżowo-złotych wież, dumnie sterczących albo zwisających nad ścieżką pod najróżniejszymi kątami. Z radia dochodził stosowny aplauz. Wyobraźnię Toma wypełniły obrazy z laboratorium anatomopatologii – leżące na stole sekcyjnym ciało Lizzie Parks. Wydawało się zupełnie nieprawdopodobne, żeby dziecko mogło zrobić coś podobnego. Tom spacerował tam i z powrotem, tam i z powrotem, a czerwone kwiaty zdawały się wdychać jego zgrozę i niedowierzanie i wydychać je w postaci upału i kurzu.

A z drugiej strony Danny, trzynaście lat później, dorosły, wypuszczony z więzienia, żyjący pod fałszywym nazwiskiem, w które zaopatrzyły go Ministerstwo Spraw Wewnętrznych i policja. Nie mógł powiedzieć o tym Lauren, tak samo jak Marta Pitt nie mogła powiedzieć jemu, mimo że byli kolegami z Programu Resocjalizacji Młodzieży i widywali się przynajmniej raz w tygodniu. Zajmowała się Dannym od wielu miesięcy. Wiedziała, że Tom był zaangażowany w jego sprawę, a mimo to ani razu o nim nie wspomniała. Brawo, Marta. Zachowała niezbędny poziom dyskrecji.

Podszedł do samochodu, wyłączył alarm i otworzył drzwi. „Zbieg okoliczności to pęknięcie w ludzkich poczynaniach, przez które dostaje się Bóg albo szatan". Typowa bzdura mieszająca do wszystkiego Boga – pomyślał, chociaż jego paranoiczne podejrzenie, że Danny zaplanował ich spotkanie, nie było ani trochę bardziej racjonalne. To jednak prawda, że ludzki umysł w obliczu różnych niepokojących wydarzeń zawsze stara się w nich znaleźć jakąś prawidłowość. Nie możemy się doczekać, żeby czarne paciorki nanizać na jedną nić. Ale niektóre wydarzenia są mimo wszystko po prostu przypadkowe.

Być może. Poprawiając lusterko, Tom dostrzegł w nim własne oko i przyjrzał się sobie, czujny, sceptyczny i nieuspokojony.

Rozdział trzeci

W poniedziałek o ósmej rano Lauren siedziała pochylona nad stolikiem w bufecie na stacji kolejowej i grzebała spaloną zapałką w popiele.

– Wydaje mi się, że potrzebujemy pomocy.

– Chciałaś powiedzieć, że ja potrzebuję pomocy, tak?

– Za rzadko się kochamy, nie uważasz?

– Nie „kochamy się" w ogóle. – Dołożył wszelkich starań, żeby w jego głosie nie było goryczy. – Proponuję, żebyśmy dali sobie trochę więcej czasu.

– Ja już nie mam czasu.

– My, Lauren. My nie mamy czasu.

Potrząsnęła głową.

– Ale czas jest w tym wszystkim najważniejszy, nie sądzisz? Przecież to nie tobie tyka zegar. Ty będziesz strzykał tymi swoimi nasionkami jeszcze po osiemdziesiątce.

Nie przy takich wynikach – pomyślał.

– Chcę powiedzieć, że jeśli zaczniemy korzystać z jakiejś pomocy, to nasza uwaga jeszcze bardziej skupi się na tej sprawie, a ja jestem zdania, że właśnie na tym polega nasz problem. Że to się stało naszą... obsesją.

– To znaczy moją.

– W porządku, twoją. Mam już dosyć bycia bankiem spermy. Mam dosyć poczucia, że się poza tym nie liczę. Co się stało z naszym... z naszym związkiem, na miłość boską? – Nachylił się do niej. – Zaraz po ślubie nawet nie chciałaś mieć dzieci. Byliśmy tylko... ty i ja.

27

Nad ich głowami głośnik eksplodował jakimś niezrozumiałym komunikatem.

– Muszę już iść – powiedziała.

– Zadzwoń wieczorem.

Założyła za ucho kosmyk jasnych włosów.

– Nie wiem, co będę robiła wieczorem.

W milczeniu przeszli przez mostek. Na peronie zapytał:

– Przyjeżdżasz do domu na najbliższy weekend?

– Nie, jadę do rodziców. Już ci mówiłam, nie pamiętasz?

Potem stali w milczeniu, nie patrząc na siebie, aż do przyjazdu pociągu.

Po powrocie do domu naciągnął kołdrę na wymięte prześcieradła – świadectwo jego najnowszej klęski, której już nie mogli zignorować. Żałował, że nie ma energii, żeby zmienić pościel, wiedział, że kiedy będzie się kładł wieczorem, poczuje zapach Lauren, a już nabierał do niego niechęci. Wydawał mu się jakiś za intensywny, nadmiernie zmysłowy, chociaż kiedyś, kiedy jeszcze kochał Lauren, ten zapach bardzo mu się podobał. Nagle ogarnęło go przerażenie – stał, gapiąc się w lustro, z poduszką w ręku, porażony świadomością, że myśląc o tym, używa czasu przeszłego.

Bo przecież ją kochał. Mieli kłopoty, owszem, ale nie zdawał sobie sprawy z rozmiarów tego problemu. Zaledwie dziewięć miesięcy temu, mówiąc głośno o tym, że kłopoty z zajściem w ciążę są czymś normalnym w jej wieku, byli szczęśliwi. I dziś zdarzały się chwile, kiedy to szczęście zdawało się pojawiać na krótko w ich życiu, łudząc, że da się schwytać. I to łatwo. A jednak nigdy im się to nie udało.

Zrobił kawę i zaniósł ją do swojego pokoju. Wybrał sobie na miejsce pracy jeden z pokojów na poddaszu, ponieważ lubił widok rzeki, chociaż na ogół rano, żeby móc cokolwiek zobaczyć, musiał wycierać w spoconej szybie specjalne kółko. Dziś widok okazał się niezbyt atrakcyjny. Morze przez cały weekend było wzburzone, łuk mostu wyłaniał się z mgły, jakby oderwany od drogi i rzeki i pozornie tak samo bezużyteczny jak Stonehenge.

A więc do pracy. Jego aktualne zadanie polegało na tym, żeby przeczytać zbeletryzowane historie przypadków, które opisał w swojej książce, i sprawdzić, czy dostatecznie różniły się od rzeczywistości, by chronić tożsamość dzieci. Wielu z nich nie widział od miesięcy, chociaż ich głosy przechowywał na taśmie.

Michelle. Dziesięć lat. Jako jedyna dziewczynka została włączona do grupy stanowiącej przedmiot badań, ponieważ odgryzła nos naturalnej córce swojej przybranej matki.

– Dlaczego to zrobiłaś? – zapytał Tom, kiedy się po raz pierwszy spotkali.

– Bo ona nagadała na moją mamę.

Odważny, pewny siebie wyraz twarzy i zachowanie typowe dla dziecka molestowanego, które wie dokładnie, co jest co i jaką cenę trzeba za to zapłacić. Tom był przekonany, że Michelle bardzo wysoko ocenia swoje szanse doprowadzenia go do zdjęcia spodni, tu, zaraz, na środku pokoju przyjęć. Żadne z zachowań, do jakich człowiek jest zdolny, poza powściągliwością, nie byłoby w stanie jej zadziwić.

Podczas ich pierwszej rozmowy siedem razy użyła słowa „sprawiedliwość" i to bardzo Toma zaintrygowało. Nauczyciele oceniali jej inteligencję co najwyżej jako przeciętną. W żadnym wypadku nie było w Michelle nic z dziecka „akademickiego", a przecież bez przerwy wracała do tego abstrakcyjnego pojęcia.

– On był zwierzęciem – powiedziała o konkubinie swojej matki, który ją zgwałcił, kiedy miała osiem lat. – I nie tylko do mnie się dobierał, i do babci, i do wszystkich, do psa też.

– A czy pies go ugryzł?

Popatrzyła na Toma podejrzliwie, jakby się bała, że się z niej naśmiewa.

– Nie, ja go ugryzłam. A potem mama poszła do szpitala i nie mogła pić, bo była chora na wątrobę i w ogóle, a on jej nalał wódki do soku pomarańczowego. Sama widziałam, jak to robił. Mógł ją zabić. Przychodził do domu pijany i ją bił, a ja czekałam na niego w kuchni, po ciemku, przy otwartym oknie, i jak tylko widziałam jego paluchy na parapecie, to zaraz wyskakiwałam i spuszczałam okno. Ale było fajnie. – Uśmiech Michelle zniknął. – Tylko że mnie wtedy zabrali do poprawczaka.

– A pamiętasz, dlaczego zabrali cię do poprawczaka?

Michelle spuściła głowę.

– Wiesz, dlaczego cię zabrali?

– Bo mama na nas naskarżyła.

– A dlaczego to zrobiła?

– Bo nam nie uwierzyła.

– Że on cię zgwałcił?

– Powiedziała, że ja to zmyśliłam. A ja wcale nie zmyśliłam.

– Wiem, że nie zmyśliłaś.

– Ale ona dalej nie wierzy. I on dalej jest jej pieprzonym słoneczkiem. To niesprawiedliwe.

– Co jest niesprawiedliwe?

– Wszystko. O dwa cholerne lata skrócili mu wyrok za dobre sprawowanie. I już jest z powrotem na wolności, pieprzony głupek. A ja straciłam mamę i malutkiego braciszka, co go każdego dnia kładłam spać, ale on ma dopiero dwa latka, to nic nie pamięta. A biednego psa uśpili. Bo ona powiedziała, że po tym, co ja mówiłam, nie mogłaby na niego patrzeć. No i gdzie jest w tym wszystkim sprawiedliwość?

– A czy mama nie uwierzyła twojej babci?

– Nie, powiedziała, że kobiety w jej wieku zmyślają różne rzeczy.

Tomowi Michelle była potrzebna do dyskusji na temat moralnego myślenia u dzieci z zaburzeniami zachowań. Założenie, że takie dzieci nie mają sumienia, byłoby zbyt wielkim uproszczeniem. Oczywiście jakaś tam mniejszość go nie miała. Gdzieś w pudełku na taśmie zachował się piskliwy głosik Jasona Hargreave'a.

– Sumienie to jest taki mały człowieczek, który siedzi w twojej głowie i mówi ci, czego masz nie robić. Tylko że w mojej głowie nie ma takiego człowieczka. – W pożarze, który wzniecił Jason, zginęły cztery osoby, a on nie okazał najmniejszej skruchy. Ale Jason był nietypowy. Michelle we wszystkim, poza płcią, była typowa. Wiele dzieci i większość dorosłych, z którymi Tom rozmawiał, miała myśli zaprzątnięte – nie, miała obsesję na punkcie lojalności, zdrady, sprawiedliwości, praw (swoich), odwagi, tchórzostwa, reputacji, wstydu. Reprezentowali moralność wojownika, prymitywną i roszczeniową. Miała ona niewiele wspólnego z ogólnie przyjętymi wartościami, ale przecież ci ludzie pochodzili z marginesu, z wiejskich ruder i miejskich gett. Młodzi mężczyźni byli z reguły bezrobotni, seksualnie aktywni i nie troszczyli się o potomstwo (mimo że często ich matki się troszczyły). Bardziej zabiegali o opinię „twardzieli" niż o cokolwiek innego. Byli wojownikami. Mali chłopcy z objętej programem grupy wiedzieli, że to ich przyszłość, i świadomie się do niej przygotowywali. Szkoła nie miała tu znaczenia i większość z nich do szkoły nie chodziła.

Tom pracował przez trzy godziny, po czym kliknął „Print" i wyruszył do szpitala, gdzie umówił się z Roddym Taylorem, dyrektorem osiemnastołóżkowego bloku o średnim rygorze, gdzie aktualnie przebywała Michelle.

Roddy był ogromny, niepohamowany i wiecznie spóźniony: Henryk VIII w garniturze w prążki. Na widok wchodzącego Toma podniósł głowę.

– Jeszcze jeden telefon i już idę.

Tom położył na jego biurku stertę papierów i usiadł.

– Czy chodzi o percepcję moralną? – zapytał Roddy, czekając na połączenie.

– Tak...

Roddy uniósł rękę, w skupieniu słuchając swego rozmówcy.

– W porządku, przyślij go. – I znów przerwa na słuchanie. – Tak, tak, tak, wiem. – Odłożył słuchawkę. – Wiesz, co ci powiem? Ludzie myślą, że łóżka szpitalne rozmnażają się jak króliki. No, ale...

– To jeszcze nie jest ostateczna wersja, ale myślę, że da się czytać. Jest tu trójka twoich. Michelle, Jason i Brian.

Przez chwilę rozmawiali o tych przypadkach, po czym Roddy wstał i zdjął marynarkę z oparcia krzesła.

– Chodź, przejdziemy się, dobrze? Chętnie odetchnę świeżym powietrzem.

Pub znajdował się jakieś pięć minut drogi od szpitala, po drugiej stronie skwerku, na którym młodzi ludzie opalali się na trawie. Blisko ścieżki leżała dziewczyna o szczupłych, muskularnych, śniadych ramionach i krótko ostrzyżonych utlenionych na jasny blond włosach.

– Masz ochotę popatrzeć sobie na cycuszki? – mruknął Roddy, nawet nie starając się ukryć chuci. W wielkich workowatych spodniach wyglądał starzej niż na swoje czterdzieści lat. Miał trójkę dzieci i większość czasu w pracy spędzał w towarzystwie ludzi młodych. Ale przynajmniej znał swoje miejsce na tle pokoleń. Jeden z lęków Toma polegał na tym, że ludzie bezdzietni nigdy tak na dobre nie dorastają. Kiedy myślał o znajomych bezdzietnych małżeństwach, miał wrażenie, że niemal w każdym przypadku dzieckiem stawało się jedno z partnerów. Gdzieś w oddali widział totalny egoizm, tę koszmarną ostateczną chłopięcość mężczyzn, którzy nie potrafią przestać uważać się za młodych.

Tom widział, jak Lauren, zalewając się łzami, pakowała prezent z okazji chrztu Toby'ego, najmłodszego dziecka Roddy'ego i Angeli.

– Nie idźmy, Lauren – powiedział wtedy. – Naprawdę nie musimy.

– Owszem, musimy – odparła i oczywiście miała rację. Wszyscy ich przyjaciele mieli już dzieci. A oni albo mogli się przystosować, albo wybrać życie w izolacji w strefie bezdzietności. Tom dokonał świadomego wysiłku, żeby się pozbyć depresji. Wierzył, że pomoże mu w tym drink.

Wzięli piwo i usiedli na zewnątrz pod drzewami. Pod wpływem nastroju chwili Tom zwierzył się Roddy'emu, jak bardzo zawiedziona jest Lauren faktem, że nie może zajść w ciążę. Roddy wysłuchał go, kiwając głową, wyraził współczucie, odkaszlnął i powiedział:

– No cóż, te pierwsze dni… – Ale najwyraźniej czuł się niezręcznie. Tom zastanawiał się dlaczego. Ostatecznie Roddy był przyzwyczajony do tego rodzaju intymnych rozmów. Ale może nie z przyjaciółmi? I nagle, mimo że nic nie zostało powiedziane, zrozumiał dlaczego. Lauren musiała powiedzieć Angeli, że Tom cierpi na impotencję, i prawdopodobnie po jednym z ich mało estetycznych, ale za to produktywnych stosunków Angela powtórzyła to Roddy'emu.

Potem Tom chciał już tylko jak najprędzej się urwać. Poczuł się zdradzony. Nieuchronnie, mimo że powtarzał sobie, że nie ma prawa mieć pretensji do Lauren. Dlaczego miałaby nie szukać pociechy u swojej najlepszej przyjaciółki? Od niego dostawała tak niewiele. Zadręczał się, wyobrażając sobie, jak Taylorowie się z nich naśmiewają i jak chichoczą, chociaż wiedział, że nigdy by sobie na to nie pozwolili, że współczuliby im tak samo jak oni im, gdyby role się odwróciły. Ale wiedział jednocześnie, że nazajutrz rano Roddy stanie w łazience przed lustrem – od lat nie widział swojego fiuta bez pomocy lustra – i odczuje coś w rodzaju nieuświadomionego rozbawienia. To co – poczciwemu Tomowi nie staje – pomyśli. Nie, nawet tak nie pomyśli – taka myśl postałaby w jego głowie jedynie jako hipotetyczna reakcja kogoś znacznie bardziej prymitywnego i mniej współczującego. No, no, coś takiego. A potem poturla się na śniadanie, pogwizdując w ten swój irytujący sposób i czując się z powodu całej tej historii bardziej męski.

Nie miał prawa być zły na Lauren o to, że opowiada przyjaciołom o ich problemach seksualnych, ale był. Gdzieś w podświadomości, po rozstaniu z Roddym, tkwił mu obraz postrzępionego na końcu sznura, rozdzielającego się pasmo po pasmie.

Rozdział czwarty

Tego wieczoru Tom czytał raport, który napisał po wizycie w areszcie śledczym, gdzie poszedł zobaczyć się z Dannym. Sucha, formalna ocena dziecka.

Nie było tam nic o tym, że przyszedł za wcześnie. Nie było nic o upalnym słońcu ani o piekącym pocie, który mu ściekał po udach. Czy o fotografiach, wysypujących się teraz z teczki na tylnym siedzeniu. Albo o jaskrawoczerwonych kwiatach trytomy, ślepych i niemych świadkach wydarzeń.

Ale również nie było nic o szoku, jaki przeżył na widok wchodzącego do pokoju Danny'ego. Wiedział, że ma rozmawiać z dzieckiem, a mimo to nie był przygotowany na tak małego chłopca, którego zobaczył w perspektywie korytarza, jak się zbliżał w towarzystwie strażnika więziennego. Z powodu wieku zapytano Danny'ego, czy chce rozmawiać w czyjejś obecności – kuratora albo jednego ze strażników – ale Danny powiedział „nie" i wobec tego, kiedy strażnik wyszedł i zamknął za sobą drzwi, stanęli twarzą w twarz zupełnie sami.

Danny usiadł bokiem na krześle, trzymając się grzejnika, który był za nim, co wydało się Tomowi bardzo dziwne wobec panującego upału, ale kiedy sam dotknął grzejnika, przekonał się, że jest to najzimniejszy przedmiot w całym pokoju. Przez wysokie okna, z szybami z matowego szkła, nie było widać nic ani z zewnątrz, ani od wewnątrz. Ale kiedy Tom zaproponował, że otworzy okno, Danny, który w tym momencie przemówił po raz pierwszy, szepnął:

– Nie, ktoś mógłby nas usłyszeć.

Zdjął ręce z grzejnika i przytknął do uszu, to przyciskając je, to odejmując. W ten sposób głos Toma, jeśliby w ogóle do niego dotarł, przypominałby przytłumiony ryk, zagłuszany przez szum jego własnej krwi. Broni się przed dźwiękami – pomyślał Tom. Z tego wynika, że dźwięki są dla niego ważne – ważne są głosy. Świadomie starał się mówić łagodnie i zadawać proste pytania. Jak chce, żeby go nazywać? Czy lubi, żeby mówić do niego Daniel, Danny czy Dan?

– Danny.
– Czy masz jakieś zwierzęta, Danny?
– Mam psa.
– Jak się wabi?
– Duke.
– Jaki to pies?
– Mastyf.
– Czy kiedy byłeś w domu, to chodziłeś z nim na spacery?

Potrząsnął głową.

– Dlaczego nie?

Wzruszenie ramion.

– Bo nie.

Pierwsze dziesięć minut spędzili na takiej rozmowie.

– Czy masz swój pokój?
– Mam.
– A jaki jest ten twój pokój?
– W porządku.
– Co widzisz przez okno?
– Ścianę.
– A co robisz?

Wzruszenie ramion.

– Masz lekcje?
– Mam.
– Z innymi chłopcami?
– Nie, sam.
– Jak ci idzie?
– Ciężko.
– Dlaczego ciężko?
– Bo muszę odpowiadać na pytania.

Danny nie dał się zwieść. Wiedział, że czekają go trudne pytania i że tu też nie będzie poza nim nikogo, kto by na nie odpowiedział.

– A co robisz po lekcjach?

– Oglądam telewizję.

– Jaki jest twój ulubiony program?

– Futbol.

– Wychodzisz czasem?

– Wychodzę.

– Sam?

– Nie, ze strażnikiem.

– Bawisz się z innymi chłopcami?

– Nie.

– Dlaczego nie?

– Są za duzi. Nie chcą się ze mną bawić.

– A ty chciałbyś się z nimi bawić?

– Nie.

– Dlaczego?

Wreszcie nawiązali jakiś kontakt wzrokowy. Danny parsknął ze zniecierpliwieniem.

– Bo kopaliby mnie po głowie.

– A dlaczego mieliby to robić?

Otworzył usta, żeby wytłumaczyć Tomowi dokładnie dlaczego, po czym je zamknął i ponownie wzruszył ramionami; tym razem było to ledwie drgnienie.

– Dlatego.

Danny był dzieckiem. Żył w rzeczywistości zdominowanej przez strach przed dużymi chłopakami. Bał się, że pewnego dnia strażnicy zostawią jego drzwi niezamknięte i wtedy ci duzi chłopcy go dopadną.

– Ale przecież strażnicy tego nie zrobią.

– Skąd wiesz? Mogą to zrobić.

– Nie zrobią.

Odwrócił się, nieprzekonany.

– Czy jest może jeszcze coś, co cię nęka?

Danny coś mruknął, czego Tom nie dosłyszał, i musiał go poprosić o powtórzenie.

– Sprawa.

– A co z tą sprawą?

– Wszyscy będą się na mnie gapili.

– Jak zasiądziesz na ławie oskarżonych? Ale przecież ktoś z tobą pójdzie. Nie będziesz sam.

– Owszem, będę.

Te słowa, fakt, że Danny nie musiał ich rozwijać i że wiedział, że nie musi, stały się punktem zwrotnym w ich rozmowie. Danny odjął ręce od uszu, wychylił się do przodu i zaczął mówić znacznie swobodniej. Tego dnia bez końca opowiadał o swoim ojcu, o tym, jakim był dobrym budowniczym i jak chodzili razem polować na króliki.

– Ale on już z tobą nie mieszka, prawda?

– Nie mieszka.

– Kiedy się wyprowadził? To znaczy jak dawno?

– Rok i... – Danny zaczął liczyć. – Cztery miesiące.

– Jak się wtedy czułeś?

Żadnej odpowiedzi. Nawet wzruszenia ramion. Danny nie wyrażał żadnych uczuć.

Przez następne dwie godziny, kiedy Tom próbował badać jego emocjonalną i moralną dojrzałość, stan psychiczny i zdolność do tego, żeby stanąć w sądzie dla dorosłych, Danny zaprezentował dość zaskakujące opinie. Zaskakujące jak na dziecko.

– Czy zabicie kogoś jest złem?

– Nie zawsze.

– A kiedy nie jest?

– Kiedy się jest żołnierzem.

– A kiedy się nie jest żołnierzem, to jest złem?

Danny wzruszył ramionami.

– Tysiące ludzi jest zabijanych przez cały czas na całym świecie. Ludzie oglądają telewizję i mówią: „O, jakie to straszne", ale wcale tak nie myślą.

– To znaczy, że ci ludzie, którzy zostają zabici, już się nie liczą?

– Można tak powiedzieć.

– A co z panią Parks? Lizzie. Jak myślisz, czy to źle, że została zabita?

– Ja jej nie zabiłem.

– Nie o to pytałem.

Danny tak długo nie odpowiadał, że Tom już stracił nadzieję.

– Źle – odparł w końcu.

– Bardzo źle?

– Ona była stara.

– Czyli nie bardzo źle.

Danny potrząsnął głową.

– Chcę, żeby to było jasne, Danny. Powiedziałeś, że to źle, że ona nie żyje?

– Tak.

– Ale nie bardzo, bo była stara, dobrze mówię?

– Przeżyła swoje.

Po raz pierwszy Danny mówił tak, jakby kogoś cytował, chociaż nikt by czegoś takiego nie powiedział do niego o Lizzie. Tom usiadł wygodnie i przez chwilę myślał. Danny natychmiast zrobił to samo, precyzyjnie i synchronicznie naśladując jego ruchy. Tom od niechcenia zmienił pozycję, tym razem opierając dłonie na poręczach krzesła. Danny powtórzył i ten ruch. Było to wyraźnie zamierzone naśladownictwo.

– A kiedy chodziłeś z ojcem na króliki, to zdarzyło ci się zabić królika?

– Tak.

– Czy uważasz, że to jest różnica: zabić królika a zabić człowieka?

– Tak.

– A czym to się różni?

Danny spojrzał Tomowi prosto w twarz.

– Króliki szybciej biegają.

Był małym bezczelnym sukinsynem.

– Ale czy myślisz, że ludzie bardziej cierpią? – Cisza. – Na przykład kiedy ich ktoś dusi, muszą się bardzo męczyć. – Cisza. – Nie sądzisz, że przed śmiercią okropnie cierpieli? – Chciał powiedzieć „cierpiała".

– Tak, ale już zaraz potem nie żyją.

– I dlatego to nie jest złe, tak?

– Tak, bo są nieżywi.

– A kiedy ludzie, czy zwierzęta, umierają, to pozostają martwi?

Danny spojrzał na niego, jakby Tom zwariował.

– Jasne, że pozostają. Jak ukręcisz łeb kurczakowi, to chyba nie myślisz, że następnego dnia rano ten kurczak będzie biegał po podwórku?

Tom spojrzał na swoje paznokcie.

– Czyli że Lizzie już nie może wrócić?

To pytanie tak bardzo przygnębiło Danny'ego, że przez chwilę Tom zastanawiał się, czy nie przerwać rozmowy. Trzymając chłopaka za ręce, powtarzał:

– Oddychaj, Danny. Wszystko jest w porządku. Oddychaj. – W końcu, kiedy mały był już stosunkowo spokojny, Tom powiedział: – Możesz mi przecież chyba odpowiedzieć.

– Ona wraca – wyszeptał Danny.

– Kiedy?

– W nocy.

– Chcesz powiedzieć, że Lizzie ci się śni?

– Nie, ona jest.

– Czy to się zdarza zaraz po tym, jak się obudzisz?

– Tak.

– I co z tym robisz?

– A co można z tym zrobić? Po prostu na nią patrzę.

– Czy starasz się nie zasypiać?

A jakże, mówił dwanaście razy „stół" wspak i rozstawiał żołnierzyków dokoła łóżka.

– Udaję, że są moim tatą.

– Czy widujesz ją czasem w dzień?

– Tak. – I w sekundę później: – Ale nie tak samo.

– A jak ją widzisz w dzień?

– Tak, jakby mnie uderzała. O tak... – Podniósł obie ręce do twarzy, jakby miał zamiar uderzyć się po oczach.

– I co widzisz?

– Ją.

– Ale dokładnie?

– Ją. U stóp schodów.

Ponieważ Danny nie przyznawał się do winy, Tom nie mógł podczas tej rozmowy pytać go o morderstwo. Ale Danny przyznał się, że wkrótce po morderstwie był w domu ofiary. Według jego wersji Lizzie mu powiedziała, że jej kotka się okociła, więc poszedł obejrzeć kocięta. Tylne drzwi były otwarte – sądził, że Lizzie specjalnie otworzyła je dla niego – więc wszedł i znalazł ją leżącą u stóp schodów, z poduszką, którą została uduszona, na twarzy. Dotknął Lizzie – była jeszcze ciepła – i zdjął jej z twarzy poduszkę, ale natychmiast ją z powrotem położył, tak potwornie wyglądała. I wtedy usłyszał kroki na górze, zorientował się, że morderca dalej jest na miejscu, i uciekł, ratując życie. Biegł aż do samego domu, gdzie ukrył się w stodole. Nikomu o tym nie powiedział, ponieważ bał się, że mężczyzna go znajdzie i zabije.

Nie było w tym ani krzty prawdy. Kryminalistyczne dowody winy chłopca wydawały się aż nazbyt oczywiste, ale Danny był dobrym kłamcą.

– To co, włosy na twoim swetrze należały do Lizzie, tak?

– One były siwe. A przecież ja się chyba nagle nie zestarzałem, co?

Tom milczał przez chwilę, po czym rzekł:

– Ale czasem musisz się chyba czuć staro.

Danny nie odezwał się słowem; objął się rękami, ściskając swoją wąską pierś.

Były jednak rzeczy, o których nie chciał mówić. Na przykład w ogóle nie mówił o matce. W pewnym momencie Tom, posługując się lalkami, usiłował go skłonić do tego, żeby zaczął mówić swobodniej. Jednakże bawiąc się nimi, Danny czuł się tak niezręcznie, że trzeba było poniechać eksperymentu. Na końcu rozmowy Tom nie wiedział ani trochę więcej o tym, jakie siły mogły skłonić Danny'ego do popełnienia takiej potwornej zbrodni, niż na początku.

Z drugiej strony w toku tej rozmowy wyłonił się całkiem wyraźny obraz jego stanu psychicznego. Źle spał, prześladowały go jakieś koszmary i wspomnienia, nie mógł się skoncentrować, czuł się odrętwiały i narzekał, że wszystko dokoła niego jest nierealne. Jednakże żaden z tych symptomów nie stanowił klucza do zrozumienia, jaki był stan jego ducha w chwili morderstwa.

Pod koniec trzeciej godziny Tom spytał Danny'ego o podpalenia. Dlaczego wzniecał ogień?

– Dla śmiechu. Każdy to robi.

– Każdy podpala swoją sypialnię?

Cisza. Tom wyjął z kieszeni pudełko zapałek i popchnął je przez stół do Danny'ego, który mocniej wetknął ręce pod pachy.

– No – zachęcał go Tom – zapal zapałkę.

Danny powoli sięgnął po pudełko, a jego ręka sunęła po stole jak małe zwierzątko. Rozległ się chrobot i błysnął płomień, kiedy Danny potarł zapałkę. Pojawiło się podwójne odbicie płomienia w jego oczach, których źrenice, zamiast się skurczyć, czego można się było spodziewać, stały się wielkie, jakby były głodne światła.

– Zdmuchnij ją, jak będzie trzeba.

Danny przełknął. Płomień oblizał drewno.

– Danny...

Nie poruszył się. Tom nachylił się i dmuchnął. Rozległ się gryzący zapach, a w powietrzu zawisła, jak znak zapytania, skręcona smuga błękitnego dymu.

– To musiało boleć.

Danny potrząsnął głową.

– Zobaczymy.

Mała piąstka otworzyła się wolno, ukazując gładkie, błyszczące czubki palców, tam gdzie skóra została oparzona. Danny gapił się na niego i Tom nie miał pojęcia, czy była to świadoma prowokacja, czy chłopak tak kochał ogień, że nie mógł zdmuchnąć zapałki.

Kiedy uznał, że Danny ma dosyć, wezwał strażnika. Chłopak był wyraźnie zaskoczony, jakby zakończenie rozmowy wywołało w nim niemiły szok. Tom wyciągnął rękę, jak zwykle na koniec pierwszej sesji z każdym dzieckiem, ale zamiast potrząsnąć tą ręką, Danny rzucił mu się w ramiona. Tom przez chwilę stał nieruchomo, ale ponieważ nie potrafiłby odtrącić dziecka w takich opałach, po chwili odwzajemnił uścisk.

– No, Danny, nie płacz, wszystko będzie dobrze. – Chociaż wiedział, że nie będzie i że Danny ma więcej powodów niż inni, żeby płakać.

– Do diabła – powiedział strażnik, kiedy szli razem korytarzem. – Musi pan mieć mocne nerwy. – Widząc na twarzy Toma zmianę, dodał: – Czy ten chłopak to nie potwór?

Nazywanie przez kochające matki swoich ancymonków „małymi potworami" było tak powszechne, że Tom był zaskoczony, słysząc to słowo, użyte w jego pierwotnym, niemal archaicznym sensie. Zaraz po przyjściu do domu sprawdził w słowniku jego znaczenie. Ołówkiem, na marginesie swoich notatek, zapisał treść hasła.

1. Stwór mający kształty odmienne od powszechnie spotykanych w naturze; istota bardzo brzydka, odrażająca, straszydło, monstrum, maszkara.
2. Człowiek zwyrodniały, pozbawiony ludzkich uczuć, lubujący się w okrucieństwach, bezlitosny, okrutnik.

Według Toma myślenie o Dannym, czy o jakimkolwiek innym dziecku, w takich kategoriach było czymś niedopuszczalnym. Do niego należała tylko ocena dojrzałości umysłowej i moralnej Danny'ego. W informacjach, jakie miał, ziały wielkie luki – na przykład nie miał jasnego obrazu rodziny chłopaka – ale uważał, że wie dość, żeby odpowiedzieć na główne pytania. Czy Danny odróżniał fantazję od rzeczywistości? Czy rozumiał, że zabijanie jest złem? Czy rozumiał, że śmierć jest stanem permanentnym? Krótko mówiąc: czy był zdolny do tego, żeby w sądzie dla dorosłych wystąpić w charakterze oskarżonego o popełnienie morderstwa. Odpowiedź Toma na wszystkie te pytania brzmiała: tak. Nie bez wątpliwości, nie bez zastrzeżeń i po wielu godzinach głębokiego zastanawiania się doszedł w końcu do wniosku, że jednak tak.

Rozdział piąty

Tom położył się późno, obawiając się złej nocy, ale niemal natychmiast zapadł w głęboki sen. Przed świtem obudził się, przez jakiś czas leżał w półmroku, odurzony, a kiedy znów zasnął, przyśnił mu się ojciec. Tom był w zatłoczonym pubie i przeciskał się między stolikami, trzymając w ręku szklanki. Nagle, spuściwszy wzrok, zobaczył szerokie ramiona w tweedowej marynarce w jodełkę i tył kędzierzawej, posiwiałej głowy.

– Tato? – powiedział. Mężczyzna spojrzał na niego. Był to jego ojciec, chociaż logika snu wymagała, żeby Tom sprawdził jeszcze ten fakt, oglądając palec serdeczny jego prawej ręki, któremu brakowało czubka.

Sytuacja we śnie się zmieniła. Teraz szli ulicą, mając po lewej stronie wysoki mur. Tom odczuł radość i ulgę, że znów może rozmawiać z ojcem. Ale nagle coś się zaczęło psuć.

– Muszę już iść – powiedział ojciec. – Coś jest nie w porządku z moim królikiem. – Po tych słowach skurczył się, ale nie stopniowo, powoli, tylko gwałtownie, jak balon, z którego wypuszczono powietrze, stając się kawałkiem szmaty, skrawkiem papieru, czymś, co przeleciało nad głową Toma, a potem nad murem i zniknęło mu z oczu. Tom uchwycił się szczytu muru i podciągnął się. Zobaczył stary cmentarz z nagrobkami, niemal całkowicie ukrytymi w wysokiej trawie. Między grobami biegał królik. Jakiś głos powiedział:

– Oto do czego sprowadza się wielka miłość – do królika biegającego między grobami.

43

Słysząc głos, Tom zorientował się, że nie śpi, chociaż minęło kilka minut, zanim stwierdził, że głos stanowił jednak element snu. Był głęboko wzruszony. Radość obcowania z ojcem i smutek wynikający z tego, że go ponownie utracił, pozostały w nim na dłużej i zabarwiły cały dzień.

– Kiedy przyjedziesz do domu? – spytała matka, chociaż bungalow, w którym obecnie mieszkała, nigdy nie był jego domem. Tak samo jak to na pół mityczne miejsce, gdzie uschłe liście pod krzakami rododendronu przypominały mu czasy, kiedy miał dwa lata i był na tyle mały, że włazł pod krzaki i wierzył, że o nim zapomniano, podczas gdy stopy dorosłych, matki w sandałach i ojca w brązowych popękanych butach, których używał do prac w ogrodzie, dreptały tam i z powrotem, dorosłe zaś głosy, głośne i sztuczne, pytały:
– Gdzie jest Tom? Widziałeś Toma? Nie mam pojęcia, gdzie on się podział, a ty? – I wtedy Tom chichotał nerwowo, przestraszony, że istotnie mógłby się zgubić, i pełen ulgi, kiedy wreszcie ojciec łapał go, wołając przez zielone błyszczące liście:
– Mam go! Jest!
Do bungalowu przenieśli się na rok przed śmiercią ojca, kiedy się okazało, że wózek inwalidzki, który ojciec uparcie traktował jako czasową niedogodność, niczym takim nie będzie. Bungalow był położony na peryferiach prowincjonalnego miasteczka, zaledwie pięć minut jazdy samochodem od skrzyżowania z autostradą. „W przeciągu pół godziny możemy być dosłownie wszędzie" – oznajmiła matka z dumą, chociaż dopóki żył ojciec, nigdzie się nie ruszyła. Granicą jej wypadów – dosłownie tylko tam i z powrotem – były lokalne sklepy.
Tom wyruszył wcześnie. Kiedy zjechał do Vale of York, w poprzek drogi zaczęły się snuć mgły, wypełniając wszelkie zagłębienia i wymuszając na kierowcach zmniejszenie prędkości do tempa kroku. Krowy, z osnutymi białą watą rogami, przeżuwając, podeszły do ogrodzenia, żeby popatrzeć na pełznący samochód. A potem – tak nagle jak się pojawiła – mgła zniknęła i zaświeciło słońce. Zapowiadał się upalny dzień.

Minął pub, do którego poszli z ojcem – jak się okazało – na ostatniego drinka, mimo że w rzeczywistości – inaczej niż we śnie – zawiózł tam ojca, pchając jego wózek, do czego zdążył już przywyknąć. Ojciec siedział, wychylony do przodu, jakby się w ten sposób chciał zdystansować od wózka. Tylko dlatego w ogóle zgodził się pokazywać publicznie na wózku, że w miasteczku był praktycznie nieznany. On, który na swój pełen zniecierpliwienia sposób latami uczył pacjentów cierpliwości, nigdy nie pogodził się z konsekwencjami własnego wylewu, nigdy nie zaakceptował jego rujnujących skutków, zawsze odwracając od najbliższych twarz, na której zastygł szpecący szyderczy wyraz. Nie potrafił się przystosować, nigdy nie przyjął do wiadomości, że te zmiany są trwałe, i w tym przynajmniej miał rację, chociaż to śmierć, a nie powrót do zdrowia, sprawiła, że wózek inwalidzki trafił w końcu do garażu. Gdzie stał do dziś. I to nie z żadnych względów sentymentalnych, tylko dlatego, że do tej pory nikt nie miał dość energii, żeby go komuś oddać.

Zwolnił i skręcił w prawo w podjazd. Kot matki, Tygrys, ruszył wolno przez trawnik, żeby go powitać. Zmierzał w jego kierunku majestatycznie, z podniesionym do góry ogonem, zakończonym białym czubkiem, i nie czekając, aż Tom na dobre wysiądzie z samochodu, zaczął się pyszczkiem ocierać o jego nogi.

– Jak się masz – powitał go Tom, nachylając się, by podrapać Tygrysa za uszami. Zobaczył matkę jako rozmazaną postać za matową szybą, jeszcze zanim zdążył nacisnąć dzwonek. Otwierając mu drzwi, zaczęła płakać, szybko się jednak pozbierała. Kiedy się całowali, poczuł ustami zbyt miękką tkankę pomarszczonego policzka. Nie podobał mu się sposób, w jaki jej ciało wiotczało, wiedział, że ten proces jest zbyt szybki, że matka chudnie i najprawdopodobniej o siebie nie dba, ale nie wiedział, co z tym zrobić ani jak poruszyć ten temat, żeby nie wyglądało na to, że się czepia.

– Jak się masz, mamo?

– Nie najgorzej.

Zawsze było „nie najgorzej". Pewnie jeszcze z trumny uraczy go tymi słowami. Z powodu upału – a duże okna bungalowu zamieniały każdy słoneczny dzień w niemiłosierną spiekotę – matka miała na sobie biały T-shirt i Tom widział wyraźnie, jak z jej przedramion zwisa zwiotczałe ciało. Miała dopiero sześćdziesiąt dwa lata, ale niektórzy ludzie szybko więdną bez fizycznej miłości, a Tom wiedział, jak dobrze układał się seks między nią a ojcem. Był to powód, dla którego jako nastolatek czuł się inaczej niż inne dzieciaki. Rodzice jego kolegów „mieli to dawno za sobą". On wiedział, że w tym wieku może być inaczej. (W dalszym ciągu tak uważał, mimo że czas uciekał).

– Pomyślałam, że zjemy sobie sałatkę – powiedziała matka. – Na coś ciepłego jest chyba za gorąco, nie uważasz?

Nalał jej sherry, pierwsze z dwóch, na jakie sobie pozwalała przed lunchem, a sobie mocny dżin z tonikiem. Wzięli drinki i wyszli na patio. Tygrys wskoczył na stolik i w dowód przyjaźni kilkakrotnie zamknął i otworzył bursztynowe oczy, po czym przestał się interesować tym, co się wokół niego działo, i zasnął. Ogród roztaczał się nie tyle przed, co nad nimi, ponieważ ojciec w ostatnim roku życia osobiście nadzorował zakładanie podwyższonych rabat, do których mógłby sięgnąć z wózka inwalidzkiego, do końca nie wierząc, że jest na niego dożywotnio skazany. „Tak będzie lepiej ze względu na kręgosłup twojej matki" – powiedział bez żenady, mimo że wówczas matka miała jedynie drobne dolegliwości typowe dla osób w średnim wieku.

Teraz jej artretyzm poczynił takie postępy, że, jak się wyraziła, te podwyższone rabaty były dla niej błogosławieństwem. Wstała, z wyrazem napięcia na twarzy wywołanym „pewną niewygodą", jak to nazywała, żeby za pomocą motyki, którą zawsze miała pod ręką, pokazać mu, jak łatwe jest dla niej teraz skopanie ziemi. Po czym z powrotem ciężko usiadła na krześle, zaświadczając w ten sposób, że stwarzane przez ojca fałszywe pozory stały się rzeczywistością. Tom zastanawiał się, jakie są granice lojalności.

Była połowa września i późne róże dalej znajdowały się w swojej szczytowej formie. Ramiona matki, tam gdzie nie sięgały rękawice ochronne, były usiane czerwonymi zadrapaniami. Wiedział, że matka boi się zimy, kiedy nie będzie nic – czy bardzo niewiele – do roboty, poza popołudniami w ośrodku społecznym, gdzie się udzielała.

Rok temu zaczęła się sposobić do przejścia na emeryturę.

– Zobaczysz, nie będziesz miała w ogóle czasu – powtarzał. – Założę się, że w pół roku po przejściu na emeryturę będziesz miała problem, jak wszystkiemu podołać. – Chciał przez to powiedzieć: „Umiesz sobie radzić w obliczu poniesionych strat. A co więcej, jesteś w tym dobra". Teraz, patrząc na nią, nie był pewien, czy w ogóle z czymkolwiek sobie radzi.

W drodze zastanawiał się, czy powiedzieć matce o swoim śnie, i już prawie się zdecydował nie mówić, ale siedząc tu i patrząc na ogród, którego ojciec nie zdążył skończyć, mimo wszystko jej powiedział. Jedna z reguł, jakie ustanowili, polegała na tym, że będą często wspominali ojca, ale nie obsesyjnie, tylko swobodnie, w sposób naturalny, tak jak się wspomina nieobecnych przyjaciół. Kiedy jednak doszedł do absurdalnego wniosku, że wielka miłość sprowadza się do królika, biegającego pomiędzy grobami, nie miał odwagi powtórzyć tego matce.

– Co za przedziwny sen – powiedziała, kiedy skończył, a następnie, prawie nie robiąc przerwy, dodała: – To prawda, że króliki stanowią tu poważny problem.

Tom poczuł, jak robi mu się zimno, jakby przejął go lekki dreszcz, jakby nagle chmury przesłoniły słońce, ale po chwili zorientował się, że matka w dalszym ciągu mówi o ogrodzie. Króliki z porośniętych janowcem wzgórz za bungalowem regularnie zjadały jej młode pędy roślin. Skupiska ich białych lśniących kit widać było na całym trawniku.

W październiku przypadała druga rocznica śmierci ojca. W niektórych książkach pisano, że opłakiwanie zmarłych dłużej niż przez pół roku jest przesadne. A oni tkwili jeszcze głęboko w żałobie, chociaż odbyli ją w sposób profesjonalny: sprowadzili ciało do domu, przepisowy czas trzymali trumnę otwartą, często odwiedzali zmarłego w chłodnym pokoju o szeroko otwartych oknach i z małą lampką palącą się przy głowie. Dotykali jego rąk, przyzwyczajając się do twardości martwego ciała, obserwowali delikatne zmiany zachodzące w wyrazie twarzy na skutek pośmiertnego sztywnienia. Mimo to żadna z tych okoliczności nie pomogła im w zaakceptowaniu jego odejścia. A to dlatego że ojciec, nawet w końcowym okresie swojej choroby, miał niezwykle silną osobowość. Matka ciągle jeszcze słyszała szum opon wózka toczącego się po mokrych ścieżkach i głos męża wołający ją z drugiego pokoju, ponieważ pod koniec życia był od niej całkowicie zależny nie tylko w dziedzinie zaspokajania potrzeb fizycznych, ale także od jej obecności, jej dotyku, głosu, a nawet zapachu. Kiedy zniknęła więź seksualna, zastąpiła ją inna, macierzyńska, jednak nie mniej fizyczna, dlatego nie było dla matki przerwy w tej bliskości cielesnej, w jakiej upływało ich życie. Wyrwa, jaka powstała w wyniku jego śmierci, wydawała się zbyt wielka, by cokolwiek mogło ją zapełnić.

Ale robili, co mogli. Gdy tylko poczuli się na siłach, wyciągnęli album ze zdjęciami i wracając pamięcią do dawnych czasów, to śmieli się, to płakali. Ostrożnie przeglądając ostatnie fotografie ojca na wózku inwalidzkim, wspominali uroczystości rodzinne czy psy, które mieli, kiedy Tom był mały.

Jeszcze w rok po śmierci ojca zdarzało się matce nakrywać do stołu na dwoje.

W pierwszą rocznicę śmierci poszła do przytułku dla zwierząt i zaadoptowała Tygrysa, trzyletniego burego kota, którego właścicielka umarła. Jej pozostałe cztery koty bez trudu znalazły nowe rodziny i tylko Tygrys był nieprzejednany w swojej żałobie, odwracając się tyłem dosłownie do każdego, kto próbował się z nim zaprzyjaźnić. W końcu został umieszczony w przytułku, gdzie zamieszkał w domku dla lalek, z którego wyglądał przez okratowane okienka, a wychodził tylko, żeby coś zjeść albo skorzystać z kuwety. „To ten – powiedziała matka Toma. – Chodź, Tygrys, będziemy razem nieszczęśliwi". Było to dla obojga czwarte stadium żałoby: przeniesienie libido na inny obiekt, osobę albo działanie. Matce szło z tym znacznie lepiej niż Tygrysowi, który przez pierwsze trzy miesiące ich wspólnego życia chował się za sofą i prychał.

Naturalnym obiektem miłości, który bardzo by jej pomógł w przychodzeniu do siebie, byłoby wnuczę, ale tego Tom najwyraźniej nie był w stanie jej zapewnić.

– Jak się miewa Lauren? – zapytała.

– Dobrze, dobrze. Jest chyba bardzo zadowolona.

– A przyjedzie do domu w ten weekend?

– Nie, zamierza odwiedzić rodziców. Wkrótce będą mieli czterdziestą rocznicę ślubu i szykuje się wielkie przyjęcie.

– Powinieneś z nią jechać, Tom.

– Nie zostałem zaproszony.

– Och. – Zamieszała resztę drinka, wprawiając szklaneczkę w ruch obrotowy. – To chyba niedobrze, co?

– Każdy z nas ma gorsze chwile, mamo.

Przytaknęła skinieniem głowy.

– To co, siadamy do stołu, tak?

Posiłek upłynął na niezobowiązującej pogawędce. Jeff Bridges, najlepszy przyjaciel Toma ze szkoły podstawowej, się rozwodzi.

– Zawsze był nicdobrego – powiedziała matka, trochę zgryźliwie, jak pomyślał Tom. Małżeństwo nie jest sprawą prostą, a Jeff ożenił się o wiele za młodo. Kiedy Tom przyjechał z uczelni na pierwsze długie wakacje, spotkał Jeffa wiozącego w wózku swoją najstarszą córkę. Poczuł się przy nim jak uczniak, chociaż miał dostatecznie dużo zdrowego rozsądku, żeby mu nie zazdrościć.

Kiedy kończyli lunch, nagle lunęło. Cienie czarnych chmur goniły się po wzgórzu, przysłaniając janowce. Tom wyskoczył, żeby złożyć parasol, i walcząc z jego mokrymi fałdami, czuł na plecach przez cienką koszulkę bębniące krople deszczu. Chlaśnięcie mokrego materiału po twarzy rozbawiło go i wrócił do domu roześmiany.

Kiedy tylko skończyli kawę, powiedział:

– To ja już chyba będę się zbierał.

Uściskali się w progu, ale to matka pierwsza uwolniła się z jego objęć. Jako kobieta pełna godności nigdy, ale to nigdy nie odważyłaby się w jakikolwiek sposób ingerować w życie syna czy używać go jako substytutu ojca.

– Zadzwoń, jak dojedziesz – powiedziała tylko.

Cały dzień miał w podświadomości Danny'ego Millera i przed wyjazdem do domu postanowił jeszcze odwiedzić miejsce, w którym bawił się jako dziecko. Było ono położone w odległości zaledwie kilku kilometrów stąd i wymagało niewielkiego nadłożenia drogi. Zatrzymał samochód na skraju trawy i dalej postanowił już iść pieszo.

Ścieżka wiodąca do sadzawki wydawała się już nie tak wyraźna, nie tak bardzo wydeptana jak wtedy, kiedy jako chłopcy przychodzili tu z Jeffem Bridgesem się bawić. Ostatni obfity deszcz zamienił wszystkie zagłębienia w trzęsawiska. Tom ominął je, schodząc ze skarpy bokiem, wśród głogów, które szarpały go za koszulę. Spuszczając się w dół zielonym tunelem, miał uczucie, że cofa się w przeszłość. Nie byłby zdziwiony, gdyby nagle spotkał siebie, dziesięciolatka, idącego w przeciwnym kierunku ze słoikiem po dżemie, napełnionym mętną wodą, gęstą od cierników czy kijanek. Albo żabiego skrzeku.

Tamtego dnia wybierali się na skrzek. Mieli ochotę iść z Jeffem sami, ale kazano im zabrać Neila, czteroletniego syna przyjaciół rodziców Jeffa, którzy przyjechali na weekend i chcieli iść na drinka do pubu, do którego nie pozwalano przychodzić z dziećmi.

– Chłopcy mogą się bawić razem – powiedział spontanicznie ojciec Jeffa, nie bacząc na to, że Jeff wymamrotał pod nosem:

– Taaato, czy musimy?

Kazano im zostać w ogrodzie. I zostali, przez jakieś dwadzieścia minut bawiąc się w chodzi lisek koło drogi. Liskiem, jako najmłodszy, był Neil, a potem zaczęło się rzucanie piłką. Chłopcy ciskali ją wysoko nad głową małego, patrząc złośliwie, jak biedak miota się, żeby ją złapać, coraz bardziej zdezorientowany. Następnie, znudzeni, zdecydowali się na szybki wypad nad sadzawkę. Wzięli słoiki po dżemie i wściekli na wlokącego się za nimi Neila, ruszyli w stronę wody. Neil był grzecznym, poważnym chłopcem w okularach w ciemnych oprawkach i z zalęknionym wyrazem twarzy. Dorośli uważali, że jest słodki; dzieci miały go za przybysza z innej planety. Truchtał za nimi z otwartą buzią, głośno sapiąc przez nos, ponieważ powiedziano mu, żeby nie oddychał ustami, a Neil zawsze stosował się do poleceń.

– Idziemy po żabi skrzek – powiedział mu Jeff zniechęcającym tonem, jaki podsłuchał u dorosłych, głównie tych, którzy nie przepadają za dziećmi.

Dzień był akurat na kalosze. Nie padało, ale wiosną ścieżki robiły się grząskie od błota. Kiedy dotarli nad sadzawkę, zobaczyli dumnie sterczący z wody świeżo złożony skrzek, ale jakieś półtora do dwóch metrów od brzegu. Na gumowce było za głęboko, więc je ściągnęli i stali na brzegu boso, wyciskając między palcami stóp zimne gęsie łajno. Neil, cały czas coś gadając i dźgając piaszczysty brzeg kijem, oddalił się, całkowicie ignorowany przez obu chłopców.

Sadzawka, niewidoczna z okien domu, znajdowała się na terenie stanowiącym własność jednego z farmerów. Nie należało się tam bawić, ponieważ nie była to prawdziwa sadzawka, tylko zalana studnia. Pośrodku, tam gdzie nie rosły już żadne rośliny, ziała kilkumetrowa głębia.

Trzydzieści lat później, stojąc na brzegu tej samej sadzawki, Tom zastanawiał się, czy to się mogło rzeczywiście wydarzyć. Historia przypominała opowieści dorosłych, obliczone na nastraszenie dzieci, nie był jednak pewien. Brodząc z Jeffem po pas, zachęcali jeden drugiego, żeby iść dalej, kiedy nagle Jeff uderzył się w palec o kamień i obaj rzucili się w panice ku płyciźnie. Za rzędem wierzb, porastających drugi brzeg, ciągnęła się droga, teraz spokojna, odkąd pięć lat temu zbudowano tu objazd, ale wtedy bardzo ruchliwa, pełna mknących z wielką prędkością samochodów, autobusów i ciężarówek.

Dziś nie było tu żadnych gęsi. Wtedy gęgały i syczały, i rozbiegały się, by stanąć w pewnej odległości, groźne i czujne, kiedy Tom wchodził do wody, wznosząc obłoki mułu. Żaby uciekały w wodorosty, niewielkie samce uczepione tłustych samic, niezdolne do tego, by się rozłączyć, nawet w obliczu tak wielkiego niebezpieczeństwa. Nurkowały w mulistą wodę, pojawiając się nieco dalej z ponurym rechotem i oczami jak czarne paciorki.

Nowy skrzek przypominał galaretę sztywną od podobnych do kropek kijanek. Stary skrzek – galaretę wiotką, z kijankami jak przecinki. Tom zanurzył słoik, trzymając go pod powierzchnią wody i nagarniając do środka góry srebrzystego śluzu. Niektóre kawały były za gęste i nie chciały się zmieścić do słoika i musiał je w tym celu rozdzielać patykiem. Kiedy miał już pełen słoik, obrócił się i zobaczył Jeffa, a za nim, w dalszym ciągu w kaloszach, niebezpiecznie balansującego Neila.

Zaczęło się jako żart, okrutny, to prawda, ale żart. Kto wpadł na pomysł, żeby wrzucić Neilowi do gumowców skrzeku? Tom nie pamiętał. Wydawało mu się, że Jeff, ale nie dałby głowy.

Neil zaczął wrzeszczeć, kiedy ciężka galareta wypełniła mu buty po brzegi, oblepiając gołe nogi. Nic go nie bolało, ale dotyk zimnego śluzu na gołej skórze był dla małego nie do wytrzymania. Wrzeszczał i podskakiwał, aż wreszcie upadł, ale zaraz potem wstał, przemoczony, usmarkany i zasikany. Nie było wyjścia. Im bardziej Neil się darł, tym bardziej chłopcy panikowali. W tym stanie nie mogli go zabrać do domu, a nie mieli jak doprowadzić malca do porządku. Jeff zdołał się jakoś wdrapać na brzeg, a Tom za nim, ale Neil nie mógł się ruszyć. Krzyczeli na niego, żeby wyłazić z wody, ale kiedy próbował unosić nogi, skrzek w jego gumowcach mlaskał i przelewał się i mały od nowa zaczynał ryczeć.

Jeff pierwszy rzucił kamieniem. Tego Tom był pewien. Prawie pewien. Posypały się kamienie i kamyki, z pluskiem wpadające do wody dokoła zrozpaczonego dzieciaka, który cofając się, coraz bardziej zbliżał się do środka sadzawki. Dlaczego to zrobili? Dlatego że się przestraszyli. Zrobili to, bo w ogóle nie powinno ich tam być, bo wiedzieli, że coś przeskrobali, bo nienawidzili Neila, który był dla nich problemem nie do rozwiązania, bo żaden z nich nie chciał przestać pierwszy. W wodzie zaczęły lądować większe grudy ziemi, na razie nie za blisko, jeszcze wtedy nie chcieli go trafić. Żaby pochowały się na dobre. Gęsi, gęgając głośno i kołysząc się na swoich krótkich nogach, uciekły na górę.

W pewnym momencie jeden z pasażerów, siedzących przy oknie przejeżdżającego akurat tamtędy autobusu, spojrzał znad gazety i nie wierząc własnym oczom, zerwał się z miejsca i szarpnął za dzwonek. Kierowca zatrzymał autobus i w chwilę później mężczyzna – Tom nigdy nie dowiedział się jego nazwiska – zbiegł z urwistego brzegu, wszedł do wody, złapał Neila na ręce i uzyskawszy adres od przerażonego i spotulniałego Jeffa, zaniósł go do domu. Chłopcy, porzuciwszy słoiki na brzegu sadzawki, ruszyli jego śladem, zbyt wstrząśnięci tym, co się stało, żeby w ogóle cokolwiek powiedzieć.

Tego dnia trójka dzieci została uratowana. Mężczyzna spogląda znad gazety, widzi, co się dzieje, i zaczyna działać. Przypadek. Gdyby w gazecie było coś bardziej interesującego, gdyby na szybie autobusu była grubsza warstwa błota, a mężczyzna nie zdradzał chęci działania, cała historia mogłaby się skończyć zupełnie inaczej. Być może tragedią. Niewykluczone. Tom nie miał pojęcia. I tym lepiej dla niego.

Czy wiedział wtedy, że to, co robił, było złe? Z pewnością wiedział. Jego rodzice, łagodni i tolerancyjni, w sprawach zasadniczych byli bardzo stanowczy i nie pozostawiali żadnych wątpliwości. Okrucieństwo wobec zwierząt, nieżyczliwość i brutalność wobec młodszych dzieci – to były grzechy główne. Toma interesował problem, w jak niewielkim stopniu poczuwał się dziś do winy. Gdyby ktoś go spytał o tamto popołudnie, odpowiedziałby zapewne: „Dzieci potrafią być bardzo okrutne", nie: „Ja byłem bardzo okrutny". Dzieci potrafią być bardzo okrutne. Tom miał świadomość, że to zrobił, pamiętał wszystko bardzo dokładnie, wiedział wtedy i zgadzał się z tym dziś, że było to coś złego, ale brakowało mu poczucia moralnej odpowiedzialności. Mimo łączącego tamten epizod z teraźniejszością ogniwa pamięci tamten chłopiec za mało przypominał obecnego Toma, żeby mogło w nim powstać poczucie winy.

Musi mieć to na względzie, pomyślał, wracając do samochodu, kiedy będzie rozmawiał z Dannym.

Rozdział szósty

Oglądał wiadomości na kanale 4, kiedy zadzwonił dzwonek u drzwi. Wyjrzał przez judasza i w zniekształcającej soczewce zobaczył Danny'ego, który przypominał rybkę w szklanej kuli.

– Jak się masz? Przyszedłeś wcześniej – powitał go Tom.

Danny przekroczył próg, a jego cień w świetle, padającym z ganku, szedł przed nim, jakby znał drogę.

– Nie wiedziałem, ile mi to zajmie...

– Nie szkodzi. Chodź. – Wziął od Danny'ego kurtkę i powiesił.

– Mogę ci zrobić jakiegoś drinka?

– A co może być?

– Whisky.

– W porządku.

Tomowi przypomniał się inny pokój, ten, w którym spotkali się po raz pierwszy. I szok, jaki przeżył na widok małego chłopca, wchodzącego w towarzystwie strażnika. Teraz doznał podobnego szoku. Wzrost Danny'ego, jego głęboki głos, siła przygarbionych ramion, spokój – wszystkie te najzwyczajniejsze cechy wydały mu się dziwne, tak dojmująco odczuwał obecność tamtego dziecka wewnątrz tego mężczyzny.

Powróciła też, bez najmniejszego wysiłku z jego strony, a nawet bez jego woli, intymność tamtego pierwszego spotkania.

– No, jak było? – zapytał, siadając w fotelu.

– Po wyjściu ze szpitala? Byłem zmęczony. Położyłem się i przespałem dziesięć godzin. Kiedy się obudziłem, nie wiedziałem, gdzie jestem.

Głupia sytuacja – pomyślał Tom. Nie mógł udawać, że to wizyta towarzyska, ale też i nie była to zwykła konsultacja. Musiał posuwać się jakoś po omacku.

– Czy chcesz o tym porozmawiać?

W odpowiedzi Danny wzruszył ramionami, co wywołało wspomnienie tamtego pierwszego spotkania.

– Wszystko mi jedno.

– To poważna decyzja w twoim wieku. Ile masz lat?

– Wiesz, ile mam lat. – I po chwili milczenia: – Dwadzieścia trzy.

– To powiedz, co poszło źle. Po twoim wyjściu.

Słaby uśmieszek.

– Poznałem dziewczynę. Mieszkałem wtedy u małżeństwa kwakrów. Byli bardzo w porządku, ale dosyć starzy i raczej surowych zasad, a ja zdecydowałem, że zamieszkam z tą dziewczyną. To nie było nic bardzo poważnego. – Danny zniżył głos do basowych rejestrów. – Ale to między nami. Byliśmy studentami, a studenci ze sobą mieszkają. Ale Mike, mój kurator, zażądał, żebym jej o wszystkim powiedział, bo jeśli ja jej nie powiem, to on jej powie. Więc oczywiście z nią zerwałem. Wolałem nie ryzykować.

– Czy ona dużo dla ciebie znaczyła?

Danny ściągnął usta.

– Nie wiem. Była miła. Jest miła. Nie mógłbym tego chyba nazwać… no wiesz, częściowo chodziło mi o to, żeby sobie udowodnić, że umiem to robić z dziewczyną. No bo większa część mojego doświadczenia, to znaczy… dziewięćdziesiąt dziewięć procent, była… inna. – Danny łyknął whisky. – Nie wszystko dobrowolnie. I z tego właśnie powodu…

– Mów dalej.

– Chciałem powiedzieć, że z tego powodu jestem rozgoryczony, chociaż wiem, że nie mam prawa być rozgoryczony z żadnego powodu, prawda?

Tom widział, jak na sali sądowej Danny uśmiechał się do pracownika socjalnego, i pomyślał: nie uśmiechaj się. Nie śmiej się, nie miej zadowolonej miny czy podnieconej, nie wierć się, nie drap się po tyłku, nie dłub w nosie, nie rób żadnej z tych rzeczy, które zawsze robią dzieciaki. Nie teraz, nigdy.

– Jeżeli tak czujesz...

– No więc dobrze, owszem, czuję się rozgoryczony. Ostatecznie mogliby wyraźnie powiedzieć: „Skazujemy cię na zgwałcenie. Przez jakiegoś wielkiego szpetnego skurwysyna, zbudowanego jak wychodek z cegieł, z ramionami jak poduszki do igieł i nieużywającego kondoma".

– Ale nie chcesz powiedzieć, że...

– Och nie, miałem szczęście. Z natury jestem szczupły.

Danny skrzyżował nogi w kostkach. Była to świadoma demonstracja, na widok której Tom z trudem powstrzymał uśmiech. Możesz się dla mnie nie wysilać, synu – miał ochotę powiedzieć, chociaż zdawał sobie sprawę, że są tacy, na których by to zrobiło wrażenie.

Gwałt był zbyt intymnym zwierzeniem jak na pierwsze dziesięć minut rozmowy. Albo Danny nie miał poczucia normalnego dystansu czy tempa w rozmowach towarzyskich (zresztą gdzież by miał się tego nauczyć?), albo tak samo wpadł w zdradliwą pułapkę, prowadzącą wprost do wspomnienia tamtej bliskości. Tom używał takich określeń, jak „intymność" i „bliskość", żeby opisać atmosferę tamtego spotkania, a przecież był między nimi również i wielki antagonizm. Tak jak teraz. Jednakże Danny mu wtedy ufał – pomyślał, patrząc w jego rozbawione i nieufne dorosłe oczy.

– W każdym razie ten związek się rozpadł, tak?

– Tak. I wtedy mi powiedziano, że nie mogę uczyć.

– Dlaczego?

– Dlatego że nie wolno mi pracować z dziećmi. A zresztą, w ogóle z ludźmi.

Tom powiedział delikatnie:

– Ale rozumiesz dlaczego, prawda? Bo gdybyś był ojcem i dowiedział się, że nauczyciel twojego dziecka został skazany za morderstwo, to jak byś się wtedy czuł?

– Pewnie bym pomyślał, że to już było bardzo dawno temu.

– Naprawdę?

Widać było, że Danny bije się z myślami.

– No, może rzeczywiście nie. Ale to był dla mnie poważny cios, no bo rozumiesz, zaczynam właśnie trzeci rok – trzy lata studiów zaocznych zrobiłem w więzieniu, można było sobie zaliczyć zdobyte kredyty – i pomyślałem, że praca nauczyciela byłaby dla mnie bardzo dobra, a teraz to już naprawdę nie wiem, co mógłbym robić. No i rozumiesz, cała ta sytuacja mnie cholernie wkurza, bo wypuścili mnie w ubiegłym roku w listopadzie i nie mogłem się nigdzie zatrudnić, więc postanowiłem zostać ogrodnikiem, tyle że dla ogrodnika też nie było pracy. To sobie wymyśliłem, że będę chirurgiem drzew. Chodziłem z piłą łańcuchową po domach różnych starych ludzi i pytałem, czy nie mają czegoś do ścięcia. I nikomu to nie przeszkadzało.

– A czy powiedziałeś Mike'owi – bo chyba twój kurator sądowy tak ma na imię? – o tej pile?

– Nie.

– To może dlatego mu to nie przeszkadzało.

Danny uśmiechnął się.

– Chodzi o to, że jemu to nie musiało przeszkadzać.

– Tak, ale oni są zobowiązani do superostrożności, nie uważasz? Tak samo ty. Jedna głupia wpadka i z powrotem siedzisz.

– Nie. To nie o to chodzi. Główny problem polega na tym: czy człowiek potrafi się zmieniać? – Danny wychylił się do przodu, patrząc Tomowi w oczy z niemal deprymującą intensywnością. – A ci, którzy z tytułu swojej pracy muszą wierzyć w to, że ludzie się zmieniają – pracownicy socjalni, kuratorzy sądowi, psychologowie kliniczni – Danny uśmiechnął się – psychiatrzy… oni wszyscy w to w gruncie rzeczy nie wierzą.

– No bo przedstawiciele tych właśnie zawodów mają szczególnie dużo przykładów negatywnych.

– A ty w to wierzysz?

Tom siedział oparty, z twarzą częściowo ukrytą przed wzrokiem Danny'ego, i masował skórę na czole.

– Najłatwiej byłoby mi powiedzieć „tak", ale podejrzewam, że w tym znaczeniu, o jakie ci chodzi… nie, nie wierzę. Oczywiście, jeśli weźmiemy jakiegoś konkretnego człowieka i zmienimy mu otoczenie, całkowicie, na dłuższy czas, to nauczy się nowych zachowań. Bo stare przestaną działać, a organizm ludzki jest zaprogramowany na przetrwanie. Więc jeśli ten człowiek jest w stanie w ogóle czegokolwiek się nauczyć, to się nauczy. Mój Boże, jasne, że się nauczy. Ale nie sądzę, żeby jego reakcje były autentycznie nowe, myślę, że one w nim były przez cały czas, tylko uśpione. Jako zupełnie bezużyteczne.

– A więc nasuwa się logiczny wniosek, że jeśli tego „konkretnego człowieka" przywrócić do jego pierwotnego środowiska, z dawnymi bodźcami, to powrócą dawne reakcje.

– Tego pierwotnego środowiska może już nie być.

– A jeśli jest? To wróci do dawnych zachowań?

– Niekoniecznie. Trzeba mieć nadzieję, że niektóre z tych nowych zachowań przetrwają.

– Ale może wrócić?

– Tak. Zawsze istnieje takie niebezpieczeństwo.

Danny skrzyżował ramiona i oparł się.

– Jesteś w gruncie rzeczy cynicznym sukinsynem. Pod pozorami całego tego współczucia i wrażliwości tak naprawdę za nikogo nie dałbyś pięciu groszy.

– Za to ty wierzysz w poprawę.

Danny był tak zaskoczony, że aż rozdął nozdrza.

– Oooch. – Było to coś między westchnieniem a jękiem.

– Nie wiem. Chciałbym. – Przerwał. – Oczywiście, myśląc twoimi kategoriami, byłyby to autentycznie nowe reakcje.

– Tak.

Po krótkiej chwili milczenia Danny powiedział:

– Przepraszam.

– Za co?

– Za to, że cię nazwałem cynicznym sukinsynem.

– Nic nie szkodzi, nie musisz być grzeczny. – I nie był. Teraz Tom już nie miał wątpliwości, że nie jest to wizyta towarzyska. – Powiedz mi, jak to było, kiedy wróciłeś do więzienia.

– O czym tu mówić? To był... po prostu impuls. Pieprzyć to – pomyślałem. – Nie dam sobie rady na wolności. A jednak w jakiś dziwny sposób dałem sobie radę w więzieniu. Dostałem pracę w bibliotece, studiowałem. – Twarz Danny'ego stężała. – I jakoś mogłem pracować z ludźmi. Jeśli ktoś chciał mi mówić różne rzeczy, to mi mówił. Bo mógł spać spokojnie, wiedział, że to nie wyjdzie poza nas dwóch.

– Czyli miałeś do odegrania jakąś rolę.

– Jasne. Większą niż na wolności. Dlatego wróciłem. Prawie całą drogę odbyłem autostopem, a ostatnie piętnaście kilometrów szedłem na piechotę. Na miejscu natknąłem się na jednego ze strażników, jednego z tych lepszych, który mnie zaprosił na herbatę. To ja mu powiedziałem o swoich zamiarach, a on na to: „Nie bądź głupi, Danny, oni cię tu z powrotem nie przyjmą". Po raz pierwszy od wielu miesięcy ktoś mnie nazwał Dannym i to mnie trochę ośmieliło. W każdym razie zapukałem do drzwi – jestem przekonany, że ich uprzedził telefonicznie o moim przyjściu – i umieścili mnie w poczekalni dla odwiedzających. Właśnie tam była ta dziewczyna z dzieckiem, myślała, że ja też przyszedłem do kogoś w odwiedziny. I wtedy pojawiła się Marta i mnie dorwała. Głupia sprawa.

– To było zrozumiałe.

– Bujaj się, facet. To było wredne.

– Dlaczego? Kiedy się to stało?

– Dziewięć dni temu.

– I to z tego powodu tak się załamałeś?

– Nie, od miesięcy byłem w podłym nastroju. Zawsze najgorzej jest w wakacje, kiedy wszyscy jadą do domu.

– A ty nie możesz jechać do domu?

– Matka nie żyje.

– O, przepraszam. – Tom bardzo dobrze ją pamiętał. Miała jasne mysie włosy i niebieski sweter, który dobrze pasował do jej błękitnych spowiałych oczu. W miarę postępów sprawy sądowej te oczy stawały się coraz bledsze, jakby łzy rozmyły ich kolor. Płakała cicho, nieustępliwie, w haftowaną chusteczkę, jakiej już prawie nikt nie używał, a Tom, słysząc jej nieustanne pochlipywanie, zdawał sobie sprawę z narastającej w nim irytacji. Jakby to ona była ofiarą. Danny odwracał się co chwila, wyraźnie bardziej bojąc się o nią niż o własny los. Co też go dodatkowo obciążało – wydawał się bowiem bardziej dojrzały, niżby to wynikało z jego metryki. – Kiedy umarła?

– Dwa lata temu. Oczywiście wtedy jeszcze siedziałem. Zabrali mnie do szpitala, ale nie zdjęli mi kajdanków, więc musiała jeszcze przeżyć cały ten wstyd, bo wszyscy widzieli mnie skutego – pielęgniarki i inni ludzie. No i właściwie nie mogliśmy nawet porozmawiać, bo cały czas sterczał przy nas strażnik. Bardzo jej się potem pogorszyło, więc zapytałem, czy mógłbym ją jeszcze raz odwiedzić, i naczelnik więzienia się zastanawiał i zastanawiał, aż w końcu się zgodził. To ja stanąłem na baczność i powiedziałem: „Dziękuję, sir", chociaż miałem ochotę wyszarpać mu pieprzoną wątrobę.

Tom pozwolił wybrzmieć jego słowom, po czym zapytał:

– Mam nadzieję, że wiesz, do kogo to mówisz?

Danny spojrzał mu prosto w oczy.

– Wiem. Na pogrzebie też byłem w kajdankach... oczywiście. Kiedy się nachyliłem, żeby rzucić garść ziemi na trumnę, to musiałem swój ruch skoordynować z cholernym strażnikiem, jakby to był jakiś pieprzony bieg na trzech nogach[*]. Coś beznadziejnego.

– Czyli nie masz oparcia w domu?

– Nie mam.

– A co z twoim ojcem?

– Od lat go nie widziałem. Czasem przyjeżdżał i odwiedzał mnie w Long Garth, które przypominało elitarną szkołę, do jakiej sam chodził. Myślę, że mu się całkiem podobało, jak długo nie pamiętał, dlaczego tam byłem. – Danny przerwał i poklepał się po kieszeniach. – Mogę zapalić?

– Możesz, mów dalej.

W dalszym ciągu używał zapałek. Tom postawił obok niego popielniczkę i z powrotem usiadł na krześle.

– Kiedyś próbowałem z nim porozmawiać.

– Na temat?

– Oczywisty. Wstał i wyszedł. Nie pamiętam, czy to była ostatnia wizyta. Jeśli nie, to w każdym razie było ich niewiele więcej.

– A co powiesz o ostatniej sobocie?

– Wstałem w zupełnie niezłym nastroju. Miałem już za sobą drugą rocznicę śmierci matki i pomyślałem sobie: no, rusz się

---

[*] Konkurencja polegająca na tym, że biegnie dwoje dzieci, które mają dwie nogi, po jednej każdego z nich, związane razem (wszystkie przypisy pochodzą od tłumaczki).

wreszcie, chłopie, na miłość boską. I wtedy... właściwie nie wiem, co się stało. Wpadłem w jakąś otchłań. Zacząłem się snuć i popijać, i to całkiem sporo, ale jakoś nie pomagało, a byłem blisko rzeki, więc pomyślałem: pieprzę to wszystko.

– Jak wtedy, kiedy wróciłeś do więzienia?

– Tak, trochę tak. Tylko że gorzej, bo już nie miałem dokąd iść.

– To znaczy, że tego nie planowałeś?

– Nie.

Twarz Danny'ego była przesłonięta dymem. Nie miało to zresztą znaczenia. Każdy dobry łgarz – a Danny był wyjątkowo dobrym łgarzem – panuje nad swoim wyrazem twarzy. Zdradza go przede wszystkim ciało. Tomowi wydało się, że w postawie Danny'ego wyczuwa jakieś nowe napięcie, a w ruchach rąk niepokój. Kiedy powiedział „nie", próbował wzruszyć ramionami, ale poruszyło się tylko jedno ramię. A zresztą kto w środku dnia nosi przy sobie temazepam? Nie, Danny nie do końca mówił prawdę.

– Jestem zadowolony, że to się stało – powiedział.

– Dlaczego?

– Bo spotkałem ciebie. Znowu. Wiem, że będziesz się śmiał, ale ja w dalszym ciągu uważam, że to nie był przypadek.

Obaj tak uważamy – pomyślał Tom.

– A co to było?

– Nie wiem... musiałem dostać porządnego kopa na otrzeźwienie, bo inaczej próbowałbym to w dalszym ciągu ignorować i udawać, że nic się nie stało, a tu nagle – brzdęk! – wszystko stanęło mi przed oczami.

– I to jest znak, że musisz spojrzeć prawdzie w oczy, tak?

– Tak.

– Zbyt wiele pozostawiasz przypadkowi, Danny. Z rzeki wyłowił cię psycholog, więc czas na psychoterapię? A gdybym był krawcem? To co, zamówiłbyś garnitur?

– To jest nie fair. A poza tym nie chodzi o pierwszego lepszego psychologa.

Tom nie spieszył się z odpowiedzią.

– Jeśli mówisz serio, to istnieje bardzo silny argument za tym, żeby zacząć od samego początku z kimś innym.

– Nie. Albo ty, albo nikt. Ale, przy okazji, nie potrzebuję psychoterapii. Po co mi psychoterapia? Chcę zrozumieć, dlaczego to się stało. – Zrobił pauzę. – Nie ma znaczenia, czy łączy nas jakaś relacja osobista, czy nie.

– To prawda. Czy kiedykolwiek przeszedłeś jakąś terapię?

– Nie. Nie udawaj takiego zaskoczonego. To ty powiedziałeś w sądzie, że jestem zupełnie normalny.

– Ja wcale nie powiedziałem, że jesteś normalny; powiedziałem, że cierpisz na stres posttraumatyczny.

– Tak, rzeczywiście, ale oni o tym zapomnieli. Zostało bardzo jasno postawione, że o tym nie mówiłeś. Do nikogo. Pan Greene, dyrektor z Long Garth, powiedział zaraz pierwszego wieczoru: mnie nie obchodzi, co zrobiłeś. Nikt cię o to nie będzie pytał. To jest pierwszy dzień pozostałej części twojego życia. I wszyscy zachowywali się tak, jak on powiedział. Był tam nauczyciel angielskiego, dla którego coś napisałem, ale nie o morderstwie. Z matką nie mogłem rozmawiać. Zalewała się łzami, kiedy tylko weszła w drzwi. A kiedy próbowałem porozmawiać z ojcem...

– To wstał i wyszedł?

– Tak.

Zaległa długa cisza. Danny spoglądał na swoje ręce. Paznokcie obcięte, skórki wyskubane do żywego mięsa. Tom czekał.

– Kiedy moja matka umarła – powiedział w końcu Danny – ktoś mi przysłał jakieś zdjęcia i na jednym z nich byłem ja jako mały chłopiec. Pchałem rodzaj wózka z cegłami. Mogłem mieć wtedy ze dwa lata. Popatrzyłem na tę fotografię, no i cóż... wyglądałem na niej jak normalny dzieciak. Wiem, możesz powiedzieć: „A czego się spodziewałeś – rogów?" Ale widzisz, to jest to; ja po prostu chcę wiedzieć dlaczego.

– Danny, jeśli mamy zrobić to... – Tom uniósł w górę obie ręce. – A wcale nie mówię, że mamy. To musisz się dobrze zastanowić, czy... czy jesteś na to gotów. Bo to nie będzie tylko proste wyjaśnienie faktów. To jest... to znaczy, że będziesz musiał poruszyć te wszystkie uśpione emocje. Zdajesz sobie z tego sprawę?

– Tak, tak, zdaję.

– Nie „tak, tak, zdaję", tylko pomyśl. Jeżeli to wszystko rozpętasz i będziesz musiał przerwać, bo okaże się to dla ciebie zbyt bolesne, to zostaniesz z poczuciem klęski. A z kolei jeśli w tym wytrwasz, to mogą być momenty, kiedy będziesz się czuł znacznie gorzej niż w tej chwili. A ja muszę pamiętać o tym, że zaledwie parę dni temu usiłowałeś popełnić samobójstwo.

– Ale ja nie mam depresji. – Danny czekał na odpowiedź. – Uważasz, że mam?

Tom zawahał się.

– Nie widzę żadnych oznak. – Ale było jeszcze coś, czego Tom nie mógł powiedzieć, a mianowicie, że brak objawów depresji bynajmniej nie był pocieszający.

– No więc dobrze. Ale ty... przepraszam... ale to, czego ja bym na pewno nie zniósł, to terapia. Nie chcę „czuć się lepiej". Ja po prostu chcę wiedzieć, co się stało i dlaczego.

Tom zastanawiał się przez chwilę.

– Wiesz co, Danny, wiele osób powiedziałoby, że twoim najważniejszym priorytetem jest w tej chwili danie sobie rady z twoimi obecnymi problemami. Przeszłości nie zmienisz; teraźniejszość możesz.

Lodowaty uśmieszek.

– Moje priorytety ustanawiam ja sam.

– Tak, to prawda.

Danny nachylił się do przodu.

– Czy mogę cię zapytać, co myślisz – nie, przepraszam – co czujesz w związku z procesem?

– Co czuję? Nie sądzę, żeby moje uczucia miały jakiekolwiek znaczenie.

– Och, myślę, że mają.

Pamięć Toma nawiedziła fala wspomnień z sali sądowej. Mała, samotna postać na ławie oskarżonych.

– Czuję się niezręcznie – powiedział w końcu.

Danny uśmiechnął się.

– Widzisz? Właśnie to miałem na myśli. Ty byś chciał, żeby między nami była relacja doktor–pacjent albo biegły sądowy–oskarżony. Ale to nie jest tak, że to tylko ja nie chcę, żeby tak było... to tak nie jest.

– Bo zaczynamy tę sprawę rozumieć dopiero teraz, Danny. Myślałem, że chciałeś porozmawiać o morderstwie.

– Nie mam wyboru, nie uważasz? Jedno pociąga za sobą drugie. Rozumiesz, to całe gadanie: czy ja to wytrzymam. Czy nie zrobi mi się po tym jeszcze gorzej. Czy nie powinienem sobie najpierw poradzić z bieżącymi problemami? To jest wszystko jedna wielka kupa... – Znów zupełnie nieoczekiwany czarujący uśmiech. – Z przeproszeniem gówna. Bo w końcu ty potrzebujesz tego w tym samym stopniu co ja.

Tom oparł się wygodnie i skrzyżował ręce na piersiach, nie przejmując się językiem ciała i pragnąc każdą kostką, każdym mięśniem wyrazić to, co czuł.

– Danny – powiedział – jeśli masz choćby najmniejsze podejrzenie, że ja potrzebuję... czegokolwiek dla siebie w całej tej sprawie, to powinieneś przebiec z półtora kilometra.

– Przepraszam, ja tak bardzo tego potrzebuję, a nie wiem... nie wiem, jak to wyrazić. Nie zawsze potrafię odróżnić coś, co sam czuję, od tego, co czują inni. Wydaje mi się, że jestem...

– Zbyt przenikalny?

Krótkim wybuchem śmiechu Danny wyraził akceptację.

– Tak, tak sądzę, bardziej niż większość ludzi.

Co za wyjątkowa znajomość siebie samego – pomyślał Tom.

– Wiesz co, zostawmy to na razie, muszę porozmawiać z Martą. Chyba zdajesz sobie sprawę, że nic z tego nie będzie, jeśli ona nie wyrazi zgody? A nawet jeśli wyrazi, to ja jeszcze nie podjąłem decyzji.

– W porządku. – Danny postawił szklaneczkę na stole. – Niezbyt zręcznie się do tego zabrałem, prawda?

– Nie, nie powiedziałbym.

Rozdział siódmy

Nazajutrz rano zadzwoniła Marta Pitt. Jej zachrypnięty od papierosów głos brzmiał w telefonie, jak zwykle, lekko niepewnie. Długo trwało, zanim Tom zrozumiał, dlaczego tak jest. Nie to, że nie lubiła telefonu: Marta nie znosiła się przedstawiać. Początkowo myślał, że wstydziła się swojego przezwiska, Marta Pitbul, i nawet trudno było jej się dziwić, mało kto by je lubił, ale ostatecznie okazało się, że jednak chodziło o „Martę".

– Jak myślisz, jak ja się mogę czuć? Od kołyski skazana na „obieranie gorszej części".

– A co to jest ta „gorsza część"?

– Czynienie dobra raczej niż kontemplowanie Boga.

Marta była katoliczką. Znała się na takich rzeczach.

– Wobec tego trudno sobie wyobrazić lepsze imię dla kuratora sądowego.

– Odpieprz się.

Teraz powiedziała cierpko:

– Chyba musimy porozmawiać.

– O czym? – spytał prowokacyjnie.

– O Ianie Wilkinsonie.

Umówili się na pierwszą na lunch. Stał przy barze od pięciu minut, kiedy weszła ze swoją ogromną czarną torbą, z którą się nie rozstawała. Czasem, patrząc, jak ryje w tej torbie w poszukiwaniu czegoś, co wiedziała, że musi tam być, wyobrażał sobie, jak Marta wpada w tę torbę i wycofuje się, wlokąc za sobą kredkę do ust, kluczyki samochodowe i sprawozdania z sądu niby borsuk ściągający do swojej nory świeżą ściółkę.

Nachyliwszy się nad Martą, żeby ją pocałować na powitanie, poczuł znajome zapachy – zastarzałego tytoniu i miętówek. Podczas ostatniej próby rzucenia papierosów uzależniła się od miętówek i od tej pory nawiedzała wszystkie sklepy ze słodyczami, poszukując coraz to mocniejszych gatunków. Ostatnio używała Ognistego Freda. Kiedy się widzieli poprzednim razem, Tom lekkomyślnie dał się namówić na freda i potem przez pięć minut płakał.

– Strzelisz sobie piwko?

Czekał cierpliwie na wynik zwykłej walki z pokusą, która malowała się na jej twarzy, a kończyła zawsze tak samo.

– Dobrze, dlaczego nie?

– Zdrówko – powiedział Tom, unosząc szklankę. – To najprawdopodobniej oznacza koniec pożytecznej pracy na dzisiaj, ale trudno.

– Jak ci idzie z książką?

– Nie najgorzej. Pierwsza wersja powinna być gotowa na koniec przyszłego tygodnia.

– To będę już mogła zacząć czytać?

– Tak. Tylko życzliwie.

Wzięli szklanki, podeszli do stolika przy oknie i usiedli.

– No więc powiedz – zaczęła Marta, zapalając papierosa – jak się czujesz w roli bohatera?

– Nie wiem.

Uśmiechnęła się.

– Nie udawaj, Tom. Niewiele brakowało, co?

– Jemu? Nie mam pojęcia. Ale wziął tyle prochów, żeby się znieczulić, że pewnie rzeczywiście niewiele.

– Niezwykły przypadek.

– Niezwykły.

Nie musieli wiele mówić, żeby się rozumieć.

– Oczywiście on by powiedział, że to wcale nie był przypadek – podjęła Marta.

– Jasne. Palec boży.

– Nie musisz szydzić. Wiele racjonalnie myślących osób by się z nim zgodziło.

– Tak, wiem. I wiele racjonalnie myślących osób by powiedziało, że ta historia się wydarzyła, ponieważ Danny ją zaplanował.

– Ale dlaczego miałby to robić?

– Nie wiem. W każdym razie musi skorzystać z dobrodziejstwa wątpliwości. Nic mu nie udowodnimy. A różne szokujące przypadki się zdarzają. Powiedział ci, że chce porozmawiać ze mną o... – Tom rozejrzał się dokoła, ale byli sami w niewielkiej salce. Adwokaci i prawnicy, którzy przychodzili tu w dzień, woleli salę barową. – O morderstwie.

– Owszem, od kiedy go znam, mówi, że zamierza to zrobić. A ja go zawsze do tego zachęcałam. Widzę, że jest mu to bardzo potrzebne. Czy to jest właściwy czas, czy...

– Zauważyłaś może u niego objawy depresji?

– Nie. Jeżeli już, to raczej złości. A kiedy złość nie znajduje ujścia...

– Jak często go widujesz?

– Trzy razy w tygodniu.

Tom gwizdnął.

– To dosyć często.

– Tak, ale on tego potrzebuje.

– Czy uważasz, że te spotkania są trudne?

– Wyczerpujące. Czasem po takim spotkaniu muszę iść do domu i się położyć. Ale szczerze mówiąc, Ian potrafi też dostarczyć wiele satysfakcji. Jest... nie wiem. Ma jakąś dziwną wrażliwość. Czasami to jest aż niesamowite. Zastanawiasz się, skąd on to może wiedzieć? Bo przecież nic nie mówiłeś. – Marta przerwała i dodała po namyśle: – Jakby siedział w tobie.

– Jak tasiemiec?

– Tom...

– Spokojnie. Sam zacząłem się zastanawiać, czy to nie ja powinienem iść na konsultację do niego. To co, uważasz, że mam to zrobić?

Ku zdumieniu Toma Marta odpowiedziała nie od razu.

– Nie jestem pewna. Przypominasz sobie, jak powiedziałam, że on jest bardzo dobry w kontaktach z ludźmi? I rzeczywiście jest, ale...

– Nie lubi trójkątów.

Spojrzała zdumiona.

– Skąd wiesz?

– Mój nos mi to mówi.

– Powiedział ci coś?

Marta jakoś nadmiernie się angażowała.

– O tobie? Nie.

– Ale masz rację, że nie lubi. Mike Freeman – znasz Mike'a? – miał pracować razem ze mną. Uznali, że dla chłopaka będzie lepiej, jeśli dostanie mężczyznę i kobietę. Ale to po prostu okazało się niemożliwe.

– Musiało być bardzo źle, skoro zdołał was podzielić.

– Tak, Mike jest mało doświadczony.

Aha, więc jednak ich podzielił.

– Uważasz, że coś podobnego mogłoby się stać z tobą i ze mną?

– Całkiem możliwe.

– Właściwie to nie bardzo rozumiem, o co ty się martwisz. No więc dobrze, nie lubi trójkątów. Ale chodzi głównie o to, żebyśmy w ogóle byli.

– Nie tylko o to. Chodzi o pewną wrogość, Tom. Wobec ciebie.

– Owszem, zauważyłem to. Mówił ci może, skąd ona się wzięła?

– On ci zaufał, a ty go paskudnie zawiodłeś. Twierdzi, że gdyby nie ty, nie miałby sprawy w sądzie, odpowiadałby jako dziecko. To ty powiedziałeś, że doskonale rozumiał, co robi, i że może odpowiadać przed sądem. On ci tego nie wybaczył.

Tom skinął głową.

– Będziemy musieli o tym porozmawiać. Ale sama wrogość nie jest automatycznie barierą. Chcę powiedzieć, całkiem szczerze, że nawet gdybym zaczynał od zera, to i tak spodziewałbym się z jego strony pewnej wrogości, ponieważ on jest wściekły. Nienawidzi wymiaru sprawiedliwości, jest zły na to, co mu zrobili.

Marta potrząsnęła głową.

– Nie, to coś więcej.

Po dłuższej przerwie Tom powiedział:

– Nie ma mowy o tym, żebym cokolwiek robił bez twojej zgody.

– Ale ja myślę, że on tego bardzo potrzebuje. I to jest najważniejsze.

– Mogłabyś go namówić, żeby porozmawiał z kimś innym.

– Namawiałam. – Uśmiechnęła się. – Nic z tego, ty albo nikt.

– A to budzi wątpliwości co do jego motywacji.

Zawahała się.

– On chce dotrzeć do prawdy, Tom. Tego jestem pewna.

– Bardzo się o niego boisz, prawda?

– Chodzi ci o to, że się nadmiernie angażuję?

Tom uśmiechnął się.

– Ile to jest nadmiernie? Ja nie wiem.

– Boję się i o ciebie. Co zamierzasz teraz robić? Co chcesz, żebym mu powiedziała?

– Muszę się z nim zobaczyć. Najlepiej w twoim biurze. Rozumiesz, chodzi o to, żeby nadać temu spotkaniu oficjalną oprawę.

– Dobrze. Normalnie się tam z nim nie spotykam, bo... bo Ian nie był dotychczas notowany.

– Mam nadzieję, że wiesz, jakie to jest dla niego niekorzystne?

– Ale nie ma wyboru, Tom. Gdyby go dopadła prasa, nie byłoby dla niego życia. – Marta wzięła torbę. – W każdym razie coś wymyślę i dam ci znać. Ale jeszcze, przy okazji, gdybyś dzwonił do mnie do biura, pamiętaj, że on jest Ian Wilkinson, dobrze?

Skinął głową.

– Chociaż ze mną on musi być Danny.

– Tak, wiem. Myślę, że będzie z tego zadowolony.

Rozmawiając z Ianem w pół godziny później, miała świadomość tego, jak bardzo jest zadowolony.

– Doktor Seymour nie powiedział, że na to pójdzie – ostrzegła go.

– Wiem, ale pójdzie.

Odłożyła słuchawkę i pomyślała, że zadzwoni do Toma i zaproponuje mu jakieś terminy, ale doszła do wniosku, że nie będzie go jeszcze niepokoić. Kursor komputera mrugnął do niej z monitora. Zrobiło jej się niedobrze – pewnie w wyniku kombinacji promieniowania z komputera i wpadającego przez okno światła słonecznego. W dniu, w którym pojechała po Iana do więzienia, lało jak z cebra. Zapach mokrego ubrania, rosa na szybach, nieustanne bębnienie kropel deszczu i ona – pochylona nad kierownicą, wpatrzona w przednią szybę, po której wycieraczki tylko rozsmarowywały błoto. Usiadła na krześle, wygodnie oparta, z twarzą ukrytą w dłoniach. Stopniowo mruczenie komputera przeszło w rytmiczne skrzypienie i zawodzenie jeżdżących po szybie wycieraczek.

Kiedy dotarła do więzienia, był już późny wieczór. Ian siedział w poczekalni i robił wrażenie zagubionego.

– Widzę, że jak coś przeżywasz, to nigdy połowicznie, prawda? – powiedziała.

Potrząsnął głową w milczeniu. Kiedy Marta wyjeżdżała, paliły się lampy uliczne. Krople deszczu odskakiwały od chodników. W mieście powiedziałaby, że jest ciemno, ale dopiero znalazłszy się wśród bagien, można zrozumieć, co znaczy prawdziwa ciemność.

Deszcz, bez końca tylko deszcz i mgła. Mijane słupki przydrożne migały jej przed oczami, wprawiając ją niemal w trans. Chętnie zajęłaby się rozmową, żeby nie zasnąć, ale Ian był milczący. Mgła zgęstniała. Jechali wąską drogą ze stromym spadkiem po lewej stronie. Kiedy skręciła, światła samochodu wydobyły z mroku zbocze wzgórza, porośnięte kępami wrzosu i krzakami kolcolistu, usiane wielkimi szarymi głazami. Na lekcji geografii, którą przywołała w pamięci, nauczyła się ich nazwy: głazy narzutowe.

Ian otworzył okno, żeby wyrzucić niedopałek papierosa, i dostała w twarz zimny prysznic. Usłyszała dzwonki pasących się przy drodze owiec. W światłach samochodu wyglądały jak bryły zagęszczonej mgły, z których każda mogła nagle zabłądzić na środek drogi. Mgła, deszcz i owce zmusiły ją do zmniejszenia prędkości.

Ian był wściekły. Ta jego dziwna blokowana złość. Wiedział, że przecież nie on jest ofiarą, wiedział, że nie ma prawa się złościć, a jednak cały czas w środku dosłownie kipiał. Wyczuwała złość w jego milczeniu, słyszała ją w świście, jaki wydawał, zaciągając się kolejnym papierosem. Boże, a ona uważała, że to ona pali za dużo. Od razu zachciało jej się papierosa.

– Mógłbyś mi wyjąć mojego? – zapytała.

Dotarł do niej chrobot pocieranej zapałki i błysk płomienia. Dlaczego nie używa zapalniczki? – zadawała sobie pytanie. Nie, zawsze były to zapałki. Na moment w pomarańczowej poświacie zobaczyła jego ręce. Wkładając jej papierosa do ust, musnął palcami jej wargi. Uważaj – pomyślała, nie wiedząc, czy to ostrzeżenie kieruje do siebie, czy do niego.

Ian milczał w dalszym ciągu. Zaczynało jej to działać na nerwy; czuła, że musi się skupić. Droga była nie tylko mokra – była też tłusta po długim, upalnym lecie. Na ostatnim zakręcie poczuła, że samochód wpada w poślizg. Natychmiast go wyrównała, ale był to nieprzyjemny szok.

– Możemy się na chwilę zatrzymać? – zapytał nagle Ian.

– Możemy. Mnie też się przyda przerwa.

Zatrzymała się w najbliższej zatoczce i wysiadła. Ian zniknął za zakrętem, a ona w tym czasie spacerowała tam i z powrotem, paląc papierosa i drżąc, opryskliwa wobec owiec. Po chwili ciemność, samotność i monotonne dzwonienie dzwonków dało jej się we znaki i zaczęła niespokojnie spoglądać w stronę wzgórza, nie mogąc się doczekać powrotu Iana.

I wtedy uderzyła ją osobliwość tej sytuacji. Noc, ciemna droga i ona, samotna kobieta, zdenerwowana, czeka na człowieka skazanego za morderstwo. Nigdy do tej pory nie myślała tak o Ianie – a zresztą może, owszem, myślała, zanim go poznała osobiście. Nigdy się go jednak nie bała, a przecież w swojej pracy od czasu do czasu czuła się zagrożona. Czuła się! B y ł a zagrożona. Mimo że nauczyła się pod maską spokoju dostrzegać wściekłość i oznaki zbliżającego się niebezpieczeństwa, mimo że potrafiła się w porę wycofać.

Ale tu – wyczuwała tyle kipiącej złości, a nie miała dokąd się wycofać. To dziwne – właśnie w tej chwili myślała o tym, że nigdy nie czuła zagrożenia ze strony Iana, a mimo to była – nie, nie przestraszona, w żadnym wypadku – z pewnością jednak napięta. Miała dość owiec z ich cholernymi dzwonkami i hałasu, jaki robiły, gryząc trawę. Chrzęst własnych kroków na żwirze zaczynał jej działać na nerwy. Gdzie on się podział, na miłość boską?

Stanęła, nasłuchując. Natychmiast usłyszała jego kroki, coraz bliższe szczytu wzgórza. Gdzieś w perspektywie drogi pojaśniało i zaraz potem pochwyciła warkot nadjeżdżającego samochodu.

Jednocześnie pojawił się Ian – najpierw głowa i ramiona – w równym tempie podchodzący pod górę, gdy jednocześnie jego cień, który rzucały reflektory samochodu, sięgał ku niej, coraz dłuższy, w miarę jak Ian zbliżał się do wierzchołka wzgórza. Nie poznawała go; był tylko ciemną sylwetką w jasnej aureoli światła. Czekała, nie mogąc nic powiedzieć.

– Przepraszam, że tak długo mnie nie było – odezwał się pierwszy. – Ale po prostu musiałem się przejść, rozumiesz. W takiej sytuacji nie potrafię usiedzieć na miejscu.

I natychmiast znów stał się Ianem. Tyle tylko że nie był Ianem. Kiedy czekali, aż przejedzie samochód, zdała sobie sprawę, że w sposobie jej myślenia o nim została przekroczona pewna granica. Do tej chwili gotowa była powiedzieć bez wahania, że się zmienił, że nie był tą samą osobą, która zamordowała Lizzie Parks, czy raczej wierzyła, że się zmienił. Te kilka minut spędzonych samotnie u stóp ciemnego wzgórza czegoś ją nauczyły, ale nie o nim, tylko o niej samej. On mógł się zmienić, ale ona w to nie wierzyła. Nie ostatecznie. Nie bez pewnych wątpliwości.

Jak gdyby czytając w jej myślach, Ian zaczął mówić, że właściwie całkowite zerwanie z przeszłością jest niemożliwe. Odprawienie go z więzienia stało się przysłowiową kroplą, która przepełniła czarę goryczy. Zaczął myśleć – może nie tyle zaczął, ile myślał od dłuższego czasu, tyle że nie dopuszczał tej myśli do głosu – że aby wykonać jakikolwiek ruch do przodu, będzie jednak musiał w jakiś sposób zmierzyć się z przeszłością, spróbować ją zrozumieć.

– Może powinieneś iść do kogoś?

– Masz na myśli psychoterapeutę?

– Albo psychologa. Wszystko jedno, kto to będzie, bylebyś miał do niego zaufanie. Chodzi mi o to, że w końcu liczy się osoba, chyba że cierpisz na jakąś chorobę psychiczną, jak na przykład schizofrenia czy coś w tym rodzaju. Musisz mieć poczucie bezpieczeństwa.

– Nienawidzę psychoterapeutów.

Samochód wjechał w kałużę na brzegu drogi i na chwilę przednia szyba zrobiła się całkowicie nieprzezroczysta. Chryste – pomyślała.

– A dlaczego ich nienawidzisz?

– Nie wiem. Może przez ojca. Zawsze mówił, że człowiek jest zdrowy, jak długo trzyma się od nich z daleka. Że może się upijać co wieczór czy srać w gacie, to nie ma znaczenia, ale wystarczy, że z nimi zacznie, i już jest skończony. Zostanie z niego kupa gówna. Oto dobry przykład więzi między ojcem a synem – pomyślała Marta.

– No cóż, może takie były jego doświadczenia, ale...

– Moje nie były lepsze.

– Myślałam, że do nikogo nie chodziłeś?

– Byłem u doktora Seymoura. I to mi wystarczy.

– Ale wtedy chodziło o wydanie opinii...

– Tak, i dzięki jego opinii trafiłem do sądu. A dzięki jego zeznaniom – do więzienia. Dobra robota, doktorze Seymour.

Zjeżdżali teraz w dolinę. Światła samochodu wydobyły z ciemności skupisko wiejskich zabudowań z czerwonej cegły, pociemniałej od deszczu.

– A poza tym nie chcę żadnej terapii. Nie potrzebuję. Chcę po prostu móc z kimś porozmawiać.

– Rozejrzę się. – Marta raczej wyczuła, niż zobaczyła, że Ian się uśmiechnął.

– Gdzie się rozejrzysz? Masz dobre układy wśród morderców?

To słowo, wypowiedziane wprost, bez ogródek, spowodowało, że wrócił lęk – nie, do lęku by się nie przyznała – że wrócił niepokój.

– Popytam, zorientuję się, kto jest stuprocentowo dyskretny – powiedziała. – Powinni być wszyscy, ale nie są.

– Wiem, mówią żonom. Sekretarkom. Dziewczynom. – Znów się uśmiechnął. – Lepiej w ogóle dać sobie z tym spokój.

– Nie uważam, żeby to był dobry pomysł.

Jechali za długim pojazdem, który rozchlapywał błoto i pryskał żwirem na obie strony, ciągnąc za sobą białą szmatę, uwieszoną u sterczącego z tyłu dźwigara. Marta przymierzyła się do wyprzedzania. Fontanna brudnej wody uderzyła w przednią szybę. Przez chwilę nie widziała dosłownie nic, dopóki nie zostawili za sobą ciężarówki, malejącej we wstecznym lusterku.

– Masz bardzo zdecydowany sposób prowadzenia samochodu – powiedział Ian. Nawet się nie poruszył.

Zastrzyk adrenaliny rozwiązał jej język.

– To nie fair z twojej strony obwiniać doktora Seymoura o to, że zostałeś skazany.

– A kogo mam obwiniać?

– Jest jeszcze policja, która zebrała dowody. Lekarz medycyny sądowej. Sędzia, który to wszystko podsumował. Przysięgli, którzy wydali wyrok...

– Nie, nie, nie, nie. To on. Gdyby nie on, zostałbym uniewinniony.

Nie było sensu się spierać; to wszystko było chore.

– Uważasz, że jestem nienormalny, tak? – I niemal pieszczotliwym tonem ciągnął dalej: – Ale oni mi uwierzyli, Marta. Naprawdę mi uwierzyli. Wiem to z całą pewnością. – Na koniec głos Iana nabrał twardych akcentów. – Zaufałem mu.

Miała ochotę spytać: czy chcesz powiedzieć, że tego nie zrobiłeś? Ale zachowała milczenie, nie całkiem pewna powodów, jakimi się kierowała. Czy gdyby byli gdzieś indziej, w jakimś mniej odosobnionym miejscu, to czy wtedy odważyłaby się rzucić mu takie wyzwanie?

Ian głośno myślał:

– To było żałosne przedstawienie.

Niedobrze, że zaczynał myśleć o sobie jako o ofierze, a jednocześnie nie spotkała nikogo, kto by proces o morderstwo Lizzie Parks uważał za dobrze przeprowadzony. Ianowi było bardzo trudno nie czuć się ofiarą.

– To nie są twoje wspomnienia, prawda?

Spojrzał w bok.

– Ian nie ma żadnych wspomnień.

– Takie gadanie naprawdę nie pomaga.

– Nie, to nie są wspomnienia. Dostałem od mojego obrońcy stenogramy.

Teraz, w duchocie przegrzanego biura, Marta raz jeszcze wróciła myślami do tej nocy. Ale wiele się od tamtej pory zmieniło. Tom przypadkowo uratował Ianowi życie i Ian miał mu wiele do zawdzięczenia.

Marta kręciła się na krześle, jakby było nabite ćwiekami. Przypadki się zdarzają – powtarzała sobie. Ludzie podróżują na koniec świata, a potem okazuje się, że stoją w kolejce za kimś, kto mieszka na tej samej ulicy. Takie rzeczy dzieją się cały czas. No, może nie c a ł y czas, bo wtedy nikogo by to nie dziwiło, ale jednak się zdarzają. I nie ma sensu mówić, że się nie wierzy w przypadki. Ale w ten konkretny przypadek byłoby jej łatwiej uwierzyć, gdyby wtedy w samochodzie nie słyszała w głosie Iana nienawiści.

Nienawiści? Nie, to niewłaściwe słowo. To było coś znacznie bardziej bolesnego. Zawiedzione zaufanie. Poczucie, że coś dobrego w katastrofalny sposób poszło źle. Cokolwiek to jednak było, nie miała wątpliwości, że Tom byłby ostatnią osobą, do której Ian zwróciłby się o pomoc. Jednak w niecały miesiąc później stał się jedyną. A ona nie wiedziała dlaczego.

Rozdział ósmy

Tom zjawił się w biurze kuratora sądowego o dziesięć minut za wcześnie. Marta musiała na chwilę wyskoczyć, żeby zobaczyć się z innym klientem, więc czas do przyjścia Danny'ego skracał sobie, spacerując tam i z powrotem po niewielkiej poczekalni. Marta dzieliła biuro z innym kuratorem i oba pokoje przyjęć były zajęte, więc dla nich została poczekalnia.

Cuchnęło w niej potem i wszelkimi możliwymi ludzkimi nieszczęściami. Polistyrenowe kubki z szarymi wymoczonymi torebkami kawy ekspresowej, dziury wszędzie tam, gdzie gaszono zakazane papierosy. Nad nieczynnym kominkiem wisiał napis: „Zabrania się palenia tytoniu", ale ci, którzy tu normalnie bywali, rzadko przestrzegali przepisów.

Usłyszał kroki w korytarzu. Głos młodej kobiety, recepcjonistki, a potem jakieś mamrotanie – poszczególne słowa niezrozumiałe: Danny. Wszedł do pokoju energicznym krokiem, z uśmiechem i z wyciągniętą ręką.

Tom zaczekał, aż usiądzie.

– Rozmawiałem z Martą i pomyśleliśmy, że byłoby dobrze, gdybyśmy się spotkali we dwóch i pogadali, a potem zdecydujesz, czy chcesz to dalej ciągnąć, czy nie.

– Już zdecydowałem. Myślałem, że chodzi o to, żeby pomóc tobie.

Tom puścił to mimo uszu.

– Cofnąłem się do czasów, kiedy miałem dziesięć lat, żeby się przekonać, co udało mi się zapamiętać. I uderzyła mnie jedna rzecz: że ja najprawdopodobniej nie pamiętam... no wiesz, rzeczy ważnych, takich, które pamiętaliby rodzice. Wspomnienia są całkiem żywe, byłem nawet zdziwiony, jak dużo ich jest, ale to są... to są wspomnienia dziecka. Zastanawiam się, ile tobie udało się zapamiętać.

Danny odchrząknął.

– Całkiem sporo.

– A na przykład kiedy przyszedłem cię odwiedzić w poprawczaku... pamiętasz coś z tego?

– Chciałeś, żebym się bawił lalkami. Pomyślałem wtedy: Chryste, jeżeli to się wydostanie na zewnątrz, to nie ma dla mnie życia.

– Nic więcej?

– Pamiętam ciebie. No i oczywiście jedna czy dwie rzeczy z tego, co mówiłem, były cytowane w sądzie.

Tom wyczuł w jego głosie lekką irytację.

– I to cię zdziwiło?

– Tak, bo myślałem, że nasze rozmowy są poufne.

– Ale przecież opinia nie może być poufna. Jest po to, żeby ją przedstawić w sądzie.

– Wiem. Ale ja miałem wtedy dziesięć lat i nikt mi tego nie powiedział.

– I dlatego poczułeś się...

Danny zaczął obmacywać kieszenie w poszukiwaniu papierosów, ale zobaczył napis nad kominkiem i schował wyciągniętą paczkę.

– Jak się poczułeś? Zdradzony?

Danny głęboko wciągnął powietrze i wstrzymał oddech.

– Tak.

– Przepraszam.

Danny rozłożył ręce.

– A wiedziałeś, po co ja tam przyszedłem?

– Wiedziałem, że miałeś sprawdzić, czy nie jestem... psychiczny, porąbany, tak? Czy nie mam świra? Nie wiem, jakiego bym użył słowa. Ale, owszem, zdawałem sobie sprawę, po co przyszedłeś, tylko że według mnie to nie miało najmniejszego sensu, bo przecież ja tego nie zrobiłem.

– Twierdzisz, że tego nie zrobiłeś?

– Nie, twierdzę, że wierzyłem w to, że tego nie zrobiłem. Wierzyłem w moją własną wersję. Musiałem.

– A na procesie?

– Dalej w to wierzyłem. Że poszedłem do niej do domu obejrzeć kocięta, zobaczyłem Lizzie martwą na podłodze i usłyszałem, że na górze ktoś chodzi, więc zacząłem uciekać jak szalony. I ze strachu nikomu o tym nie powiedziałem. I tyle. Taka była moja wersja wydarzeń.

– A co jeszcze pamiętasz? W związku z procesem?

– Uczucie znużenia. Byłem tak tym zmęczony, że bolał mnie umysł. Patrzyłem na zegar, na minutową wskazówkę, która poruszała się skokami, nie płynnie, i cały czas czekałem tylko od skoku do skoku. Nie wolno mi się było niczym bawić, pewnie dlatego, że gdyby mi dali jakieś zabawki, to tym samym musieliby przyznać kupę różnych rzeczy. Zawsze mi mówili, żebym siedział prosto, patrzył na osobę, która akurat mówi, a ja przecież połowy z tego wszystkiego nie rozumiałem.

– No więc co zapamiętałeś?

Danny zastanowił się.

– Sędziego, z powodu jego togi i peruki. Czy wiesz, że w dalszym ciągu... jeżeli jest w pokoju coś jaskrawoczerwonego, to siadam do tej rzeczy tyłem albo chowam ją gdzieś tak, żebym jej nie widział? I to też z powodu tamtej sprawy.

– Jeszcze coś?

– Pamiętam, że grałem z jednym ze strażników w esy-floresy. To było w porze lunchu. Rozumiesz, jedna osoba rysuje jakiś zawijas, a druga próbuje coś z niego zrobić. Wziąłem ze sobą do sądu papier i pracownik opieki społecznej zmiął mi go w kulę i wyrzucił. Co jeszcze? Pamiętam, jak ojciec ukradkiem wychodził na papierosa i szedł na palcach, bo mu buty skrzypiały, a im bardziej się starał, tym bardziej one skrzypiały. Byłem wściekły.

– Coś jeszcze?

– Pamiętam ciebie. Jak na ciebie patrzyłem. I pamiętam, jak mówiłeś to wszystko o kurczakach. Że jeśli ukręcisz kurczakowi łeb, to nie powinieneś się spodziewać, że następnego dnia ten kurczak będzie biegał po podwórku. To właśnie wtedy wszyscy... –

Danny nagle głośno nabrał w płuca powietrza. – I to był właśnie ten moment. Do tej chwili nikt nie wierzył, że ja to zrobiłem.

– I ty naprawdę uważasz, że skazali cię na tej podstawie?

– Tak.

Tom uśmiechnął się wyrozumiale.

– Nie sądzę, żeby to było aż tak proste, Danny. Mieli bardzo mocny materiał dowodowy z medycyny sądowej.

– Tak, ale oni w niego nie wierzyli. Wierzyli mnie.

Obrona powołała Danny'ego na świadka. Bóg jeden raczy wiedzieć, skąd wzięli tyle odwagi, ale tak zrobili. Był w tej roli fantastyczny. Nie tylko wyglądał bardzo przystojnie, ale stał prosto, mówił wyraźnie, nie wiercił się, nawiązywał kontakt wzrokowy, był pewny siebie (ale nie bezczelny), pamiętał, żeby zwracać się do sędziego „wysoki sądzie", a do adwokata „panie mecenasie". Robił przy tym wrażenie, że mówi prawdę, i rzeczywiście mówił – w dziewięćdziesięciu ośmiu procentach. Krótko mówiąc, każdy chętnie by się przyznał do takiego, powiedzmy, siostrzeńca.

Patrząc na niego przez szerokość sali, Tom myślał: czy to wszystko może być autentyczne?

Przysięgli byli pod wrażeniem. Ale twierdzić, że wierzyli w jego historię… to naprawdę wydawało się śmieszne. Oczywiście, że nie wierzyli. Było na to zbyt wiele niepodważalnych dowodów rzeczowych.

– Nie, Danny, nie pamiętasz tego dokładnie. To nie było tak.

Danny wzruszył ramionami.

– Owszem, było, ale nie warto się spierać. Nie mam do ciebie pretensji. Zrobiłeś, co mogłeś, w tej sytuacji.

Tomowi przypomniała się sala sądowa i panująca w niej cisza, kiedy zajmował miejsce przy pulpicie.

– Wydaje mi się, że wtedy marzyłem tylko o tym, żeby to się wreszcie skończyło. Chciałem cię stamtąd wyciągnąć i wysłać na terapię.

– Ale tak się nie stało.

– Napisałem do Ministerstwa Spraw Wewnętrznych, ale spławili mnie w typowy sposób.

Zaległa cisza. Tom masował sobie czoło, jak zawsze, kiedy był w stresie.

– Znasz tego nauczyciela angielskiego, o którym wspominałeś? Powiedz mi o nim coś więcej.

– Angus MacDonald – powiedział Danny ze szkockim akcentem. – On był... bardzo, bardzo dobrym nauczycielem, zacząłem nawet dla niego pisać takie różne prace. To znaczy ekstra, poza tym, co w szkole. Na przykład o zwierzętach na farmie, tego rodzaju historie. I to dotarło w pewnym momencie do moich rodziców, i... – Danny głęboko zaczerpnął tchu. – O różnych rzeczach, które się działy.

– Ale nie o morderstwie?

– Nie. – Danny przerwał, żeby wytrzeć pot z górnej wargi. – Po procesie spędziłem jedną noc w więzieniu, prawdziwym więzieniu dla dorosłych, bo nie mieli co ze mną zrobić. Ależ tam cuchnęło – szczyny i kapusta. I pomyślałem sobie – nikt mi nic nie powiedział – pomyślałem sobie: koniec. A następnego dnia pojawili się Greene'owie i zabrali mnie do Long Garth. I kiedy już mnie tam zainstalowali, przyszedł pan Greene, usiadł na łóżku i zaczął mówić – oczywiście nie pamiętam dokładnie słów – ale z grubsza chodziło o to, żeby się odciąć od przeszłości. Po prostu zapomnieć. I dlatego, że go podziwiałem i że byłem śmiertelnie przerażony, za wszelką cenę próbowałem to zrobić. Przez cztery lata żyłem w tej skorupie, dopóki nie przyszedł Angus i jej nie rozwalił. I miał rację. Nawet wtedy uważałem, że ma rację, ale jednocześnie umierałem z tego powodu ze strachu.

– I co się stało?

– Nic się nie stało. Angus zniknął. I tak przyjechał tam tylko na jakiś czas.

A więc była jakaś historia – pomyślał Tom – o której mu nie powiedziano.

– Ulotnił się, zanim doszliście do morderstwa?

– Tak.

– I potem już nie było żadnych innych prób?

– W więzieniu należałem do grupy terapeutycznej. Ale to było żałosne. Iluś tam palantów, którzy powtarzali te same łgarstwa co w sądzie. Tylko że facet, który tę grupę prowadził, miał jedną dobrą metodę. A przynajmniej mnie się tak wydawało. Dawał ludziom magnetofon, żeby mówili, co chcą, i żeby to wszystko z siebie wyrzucili. Ale był jeden warunek: na koniec należało tę taśmę spalić. To mi się naprawdę bardzo podobało. No więc wziąłem magnetofon i wyszedłem, i co – okazało się, że jednak cały czas ktoś mnie pilnował, ktoś podsłuchiwał. Skutek był taki, że nie mogłem wydobyć z siebie jednego cholernego słowa. Siedziałem tylko jak głupi i gapiłem się na przewijającą się taśmę.

– I co wtedy czułeś?

– Wielkie rozczarowanie. Pomyślałem sobie: może to jednak nie był taki dobry pomysł. Przecież każdy może spokojnie łgać, od początku do końca. Rozumiesz... – W jego głosie pojawiła się agresywna piskliwa nuta. – „To w grucie rzeczy nie moja wina, inni też ponoszą za to odpowiedzialność. Miałem ciężkie życie..." i tak dalej. Dlaczego niby ktoś miałby mówić prawdę tylko dlatego, że mówi do siebie? Człowiek sam dla siebie jest najbardziej bez- krytycznym audytorium na świecie. Brakuje kogoś, kto powie: „Przepraszam, to wcale nie było tak". Czegoś w rodzaju...

– Wykrywacza kłamstw?

– Tak. Czegoś w tym rodzaju. Sprowadzacza na ziemię.

– A nie mogłeś robić tego z terapeutą?

– Nie, on pracował tylko z grupą. Zresztą...

Danny zamilkł i Tom myślał, że już nie podejmie przerwanego wątku, ale po chwili, wyglądając przez okno, powiedział:

– Kiedykolwiek przychodziło mi do głowy, żeby na ten temat porozmawiać, to zawsze myślałem o tobie.

– Dlatego że ja tam byłem?

– Tak, pewnie dlatego.

– Rozumiem, byłoby ci łatwiej.

– Nie, nie łatwiej. Chodzi o to, że z tobą mogę być Dannym. A z nikim innym nie mogę.

– Jestem zdziwiony, że dalej masz do mnie zaufanie – powie- dział Tom wolno.

– Chodzi ci o to, że jak się wtedy sypnąłem, to wszystko trafiło do sądu?

– Nazywasz to „sypnięciem się"? Byłeś najostrożniejszym, naj- bardziej powściągliwym dzieciakiem, jakiego kiedykolwiek spotka- łem w życiu.

– O, widzisz, tego właśnie potrzebuję. Kogoś, kto wie, jak było.

– Ale mnie tam nie było przez większość czasu.

– Owszem, ale ty byś wiedział, gdybym kłamał. To znaczy sam przed sobą. Oczywiście nie będę kłamał przed tobą. – Danny roześmiał się. – Nie miałoby to sensu. – Mimo śmiechu pocił się. Nagle wstał. – Pozwolisz, że na chwilę wyskoczę? Muszę zapalić.

Tom wyciągnął w jego stronę plastikowy kubek pełen petów, pływających w fusach po kawie.

– Tak, wiem, ale... – Ruchem głowy wskazał znak „Zabrania się palenia tytoniu". – Jestem grzeczny, naprawdę jestem grzeczny.

Ten uśmiech – pomyślał Tom, kiedy za Dannym zamknęły się drzwi – wystarczyłby, żeby ateista uwierzył w potępienie.

Niespokojny, podszedł do okna. On też miał ochotę wyrwać się z tej cuchnącej klitki, ale bał się wyjść, na wypadek gdyby wrócił Danny i go nie zastał. Wielkiej wrogości z jego strony nie ma – pomyślał. – Jeśli, to nieznaczna. Może odrobinę większa, niż Danny chciał przyznać, ale nie taka, żeby to miało jakiekolwiek znaczenie. W gruncie rzeczy każdy, kto w jakikolwiek sposób chciał Danny'emu pomóc, musiał mieć bardzo silną osobowość, żeby wytrzymać to wszystko, co go czekało. Tom nie mógł powiedzieć, żeby ta perspektywa go specjalnie cieszyła, ale postanowił Danny'emu pomóc. Ostatecznie problem sprowadzał się nie do tego, czy będzie się nim dalej zajmował, ale czy jest gotów go zostawić. Nie był to początek profesjonalnej relacji, tylko kontynuacja czegoś, co się zaczęło trzynaście lat temu.

Panujący w pokoju smród był nie do zniesienia. Tom otworzył szeroko drzwi i w tym momencie zobaczył Danny'ego, który szedł korytarzem, ze spuszczoną głową, zamaszystym krokiem, jakby się znajdował w otwartym terenie.

Rezygnując z ucieczki, cofnął się do środka i usiadł.

– Lepiej?

– Lepiej – odparł Danny z przepraszającym uśmiechem. – Cholerny nałóg. Nie mogę dać sobie z nim rady.

– Jedyny?

Danny zamrugał.

– Nie licząc temazepamu – jedyny.

– Chciałbym wyjaśnić kilka rzeczy. Czy widziałeś protokół sądowy?

– Widziałem.

– Czy uważasz, że wprowadził zamęt w twoje wspomnienia?

– Nie, nie miał na nie najmniejszego wpływu. Zbyt się od nich różnił. A zresztą, nie o procesie chciałbym mówić...

– Dobrze, to skupmy się na twoim dzieciństwie. Szczególnie na okresie sprzed...

– Innego nie było. Potem już nie było dzieciństwa.

– To, o czym mamy mówić, zależy wyłącznie od ciebie. Mogę cię ewentualnie poprosić o wypełnienie pewnych luk, są sprawy, co do których nie mam jasności, ale to wszystko. W zasadzie decydujesz ty, dobrze?

– Dobrze.

– I jeszcze jedno: czy zgadzasz się, żebym rozmawiał o tym z innymi ludźmi? Oczywiście nie ma mowy, żebym powtarzał to, co mi powiesz. – Zobaczył, że Danny się uśmiecha. – Nie, tym razem poufność jest absolutna. Pytam tylko, czy gdybym rozmawiał na twój temat z innymi osobami, mógłbym wspomnieć, że się z tobą widziałem. Zgadzasz się?

Danny potrząsnął głową.

– To zależy wyłącznie od ciebie.

– Nie chciałbym, żeby cokolwiek dotarło do mojego ojca. O ile się orientuję, nie wie, gdzie jestem, i to mi bardzo odpowiada.

– Miałem raczej na myśli dyrektora Long Garth.

– Pana Greene'a? – Spojrzał zdziwiony. – W porządku. To mi nie przeszkadza.

– Wobec tego dobrze. I jeszcze jedno. Gdybym się zorientował, że w wyniku naszych sesji twoja depresja się pogłębia, to będę musiał się bardzo starannie zastanowić, czy powinniśmy je kontynuować.

– Nie chciałbym zaczynać i potem przerywać.

– Tak, ale możliwe są wszelkiego rodzaju kompromisy. Na początek spróbujmy się spotykać dwa razy w tygodniu, a jak się okaże, że są problemy, to zawsze możemy zrobić tygodniową przerwę. Chcę przez to powiedzieć, że musimy być elastyczni.

– W porządku. W każdym razie zależy mi, żebyśmy z tym ruszyli.

– Dobrze, porozmawiam z Martą i wtedy umówimy się na konkretny termin.

– Okay.

Danny jak gdyby stracił cały animusz, być może przygotowywał się wewnętrznie. Kiedy tylko Tom się poruszył, Danny wstał i wyciągnął rękę. Jej dotyk przypomniał Tomowi uścisk, jakim zakończyło się ich pierwsze spotkanie, i gorącą, lepką buzię dziecka, przytuloną do jego brzucha. A potem komentarz strażnika: „Czy ten chłopak to nie potwór?", który dźwięczał mu w uszach, kiedy szedł do samochodu, gdzie na tylnym siedzeniu czekały na niego wysypujące się z teczki zdjęcia Lizzie Parks, potworne obrazy, trudne do skojarzenia z tak młodziutkim chłopcem.

Danny w jednym miał niewątpliwą rację. Bardzo tego potrzebował. Potrzebował tego skojarzenia.

Rozdział dziewiąty

To, co Danny powiedział o procesie, było nonsensem i Tom o tym wiedział. Postępowanie sądowe zachował we wspomnieniach człowieka dorosłego; Danny nie. Prosta sprawa. Ale tamte słowa chłopaka nie dawały mu spokoju. Łącznie z innymi problemami. Z Lauren miał coraz trudniejszy kontakt i chyba nie był to przypadek. Często dzwoniąc, nie zastawał jej w domu, a kiedy się nagrywał na sekretarkę, nie oddzwaniała. W tych rzadkich chwilach, kiedy wreszcie udawało mu się z nią połączyć, była oschła i odpowiadała monosylabami. Książka też utknęła w martwym punkcie; do tego, żeby mógł od nowa ruszyć z pisaniem, brakowało mu jeszcze pewnych badań. Nic właściwie nie szło gładko, ale musiał zacisnąć zęby i jakoś sobie radzić.

Ranek po rozmowie z Dannym spędził w bibliotece medycznej, przeglądając mikrofiszki z artykułami. Nienawidził maszyn, które – jeśli się ich używało za długo – powodowały zaburzenia wzroku, przypominające rodzaj migreny bez bólu. Kiedy wychodził z biblioteki, czując się chory fizycznie i psychicznie, wiedział, że go dopadło. Światło słoneczne, odbijające się w przednich szybach i zderzakach samochodów, raziło go w oczy. A kiedy dotarł do swojego samochodu, miał w prawym oku, w samym środku pola widzenia, czarny punkt ze srebrną świetlistą otoczką. Jak zwykle poruszył głową, chcąc się go pozbyć, chociaż wiedział, że jest to bezcelowe. Czarny punkt poruszył się wraz z jego głową. Plamka na powierzchni siatkówki, spowodowana chwilowym niedokrwieniem. Jako chłopiec był zafascynowany tym zjawiskiem: patrzył na brak widoku i ten paradoks sprawiał mu przyjemność. Teraz wydawał się jedynie udręką. Ponieważ prowadzenie samochodu w tym stanie byłoby niebezpieczne, musiał odczekać w rozgrzanym aucie, aż mu przejdzie. Wszystko to razem trwało około dziesięciu minut. Kiedy zgasł mu w oku ostatni błysk, siedział jeszcze jakiś czas, z twarzą ukrytą w dłoniach, całkowicie wykończony. Z niewiadomych powodów, mimo braku bólu i wymiotów, a także innych uciążliwych objawów migreny, zawsze był potem wyczerpany. Mimo to miał wrażenie, że świat jest zupełnie nowy. Rozejrzał się po parkingu, a jego niezakłócony wzrok czynił z każdego przedmiotu jakieś niezwykłe zjawisko.

Pod wpływem chwili postanowił zadzwonić do Nigela Lewisa, który wtedy, podczas procesu, był adwokatem Danny'ego. Siedział oparty o ścianę samochodu, z telefonem przy uchu, pewny, że mu powiedzą, że pan Lewis jest w sądzie i do końca dnia będzie nieuchwytny. Lewis jednak zgłosił się natychmiast.

Po wymianie pozdrowień Tom powiedział:

– Pamiętasz Daniela Millera?

– Millera? Nie sądzę...

Tom słyszał w tle jakąś rozmowę.

– Na pewno pamiętasz – nalegał, starając się, żeby w jego głosie nie było słychać zniecierpliwienia. Nigel przysłonił słuchawkę ręką i powiedział coś usprawiedliwiającego do obecnych w pokoju osób. – Chodzi o morderstwo Lizzie Parks. On miał wtedy dziesięć lat, pamiętasz?

– Miller? Mój Boże, oczywiście, że pamiętam.

– No więc on już jest na wolności i parę dni temu przyszedł mnie odwiedzić.

Nigel Lewis znów coś powiedział do obecnych.

– Czy moglibyśmy porozmawiać? – zapytał Tom. – To znaczy, czy moglibyśmy się gdzieś spotkać?

– W „Cooperage"? O pierwszej?

– W porządku. – Była już prawie pierwsza.

Nabrzeże zawsze podnosiło Toma na duchu, bez względu na to, w jak podłym był nastroju. Przez jakiś czas stał wsparty o balustradę, słuchając krzyku i zawodzenia mew i patrząc, jak silna, sprężysta, brunatna rzeka toczy swoje wody pod mostem, niosąc je ku morzu. W wietrzne dni, takie jak ten, czuło się nawet zapach morza i można sobie było wyobrazić kruszące się skały, powolną erozję wybrzeża, wielkie betonowe wały ochronne, wygryzane stopniowo przez wiosenną falę.

Nigel, wielki amator zakrapianych lunchy, przyszedł pierwszy i stał przy barze ze szklanką piwa.

– Właśnie zamówiłem i dla ciebie – powiedział, kiedy Tom do niego podszedł.

– Dzięki, chętnie się napiję.

– No, więc mów, o co chodzi. – Postawili szklanki na stoliku w rogu baru.

– O nic szczególnego. Po prostu on...

– Czy on się pojawił dopiero co? Jak długo jest na wolności?

– Mniej więcej od roku.

Nigel podniósł szklankę do ust.

– Przecież nie mogli go trzymać wiecznie.

– Rozumiem, że już nie jesteś jego adwokatem?

– Dzięki Bogu nie. Ale co się stało?

– Wpadliśmy na siebie. I Danny doszedł do wniosku, że byłoby dobrze, gdyby mógł z kimś pogadać.

– Dobrze dla niego oczywiście?

– Obiecałem, że będę się z nim spotykał.

– Dlaczego?

– Pewnie ciekawość. Częściowo. Nieczęsto się zdarza, że można śledzić rozwój takiego przypadku. – Uśmiechnął się. – W ogóle nieczęsto się zdarza taki przypadek.

– Ale nie jest twoim pacjentem? To znaczy nie jesteś...

– Och nie, nie. Postawił sprawę bardzo jasno, że nie chce terapii. Chce po prostu rozmowy.

Nigel uśmiechnął się swoim dobrze naoliwionym uśmiechem.

– Myślę, że opisanie tego przypadku byłoby kolejnym sukcesem, jaki mógłbyś zapisać na swoim koncie, prawda?

Próba wyjaśnienia Nigelowi, jak podziałała na niego przed laty ta rozgrzana buzia Danny'ego, przytulona do jego brzucha, nie miałaby najmniejszego sensu. Nigel, który z biegiem lat stał się całkowicie, rujnująco cyniczny, apelował do najniższego wspólnego mianownika ludzkich zachowań. Efekt był taki – pomyślał Tom – że stał się ślepy na wszelkie przejawy ludzkiej dobroci przekraczające minimum, ale w tym samym stopniu zobojętniały mu przejawy zła. Żył w świecie, w którym ludzie myślą tylko o sobie i uważają, żeby nie przegapić głównej szansy. Najwyraźniej nie docierało do niego, że niektórzy działają z bezinteresownej potrzeby destrukcji. Zło, bądź moim dobrem... * – to wypadło z jego repertuaru. Miał szczęście.

– Nie, nie sądzę, żebym to opisywał. Chodzi o coś innego. O pewne jego słowa, które nie dają mi spokoju. To znaczy... po krótce: powiedział, że został skazany na podstawie moich zeznań. Ja mu oczywiście uświadomiłem istnienie materiału dowodowego z medycyny sądowej i w ogóle, ale on... on nawet nie mrugnął okiem. Po prostu powiedział: „Nie, to przez ciebie”.

– Hmm, wygląda na to, że czytał protokół sądowy.

Tom nie takiej odpowiedzi oczekiwał. Nigel odstawił piwo, dyskretnie wytarł usta wierzchem dłoni i z poważną miną rozsiadł się na ławeczce. Tom być może powinien odczuwać satysfakcję z tego powodu, że go potraktowano poważnie, że jego niepokój nie został automatycznie zlekceważony jako bezpodstawny, ale nie odczuwał. Chciał, żeby jego niepokoje traktowano poważnie, a jednocześnie żeby lekceważono ich przyczyny. Reakcja Nigela była irytująca.

– Jesteś pewien, że wpadliście na siebie? – zapytał Nigel. – A może on cię poszukiwał?

Tom nie zamierzał wspominać o próbie samobójczej, o dziwnych okolicznościach, w jakich się spotkali. Nie miał wątpliwości, co Nigel by powiedział. Zamiast tego wrócił do stwierdzenia Danny'ego, że to jego, Toma, zeznania doprowadziły do wyroku skazującego, i przypomniał Nigelowi szczegóły sprawy: bogaty kryminalistyczny materiał dowodowy, wskazujący na winę Danny'ego, fakt, że tego dnia chłopak był nieobecny w szkole, oraz zeznania świadków, którzy widzieli, jak uciekał z domu Lizzie Parks. Zaczął

---

* John Milton, *Raj utracony*, ks. I, w. 192, 193, przeł. Maciej Słomczyński, Wydawnictwo Literackie, Kraków 1986, wyd. II.

gadać jak nakręcony, robiąc ironiczne uwagi, byle tylko skłonić Nigela do tego, żeby powiedział: co za bzdura, nie bądź śmieszny. Rozpaczliwie potrzebował, żeby Nigel przyznał, że jego zeznania stanowiły jedynie potwierdzenie tego, co przysięgli i tak już wiedzieli, ale Nigel milczał złowrogo.

– No cóż, według niego gdyby nie moja opinia, nie zostałby skazany.

– Chyba przesadzasz, Tom.

– Przesadzam?

– To mi się naprawdę nie podoba. Przecież nie musisz się z nim widywać, prawda?

– Nie, ale...

– A jeśli cię zacznie nachodzić, to wystarczy, że zawiadomisz Ministerstwo Spraw Wewnętrznych, i zaraz go z powrotem wsadzą za kratki. To jedno trzeba oddać naszemu wymiarowi sprawiedliwości. Że są trzymani na krótkiej smyczy. – Uniósł szklankę do ust i po przerwie dodał: – Dzięki Bogu.

– Ale ja oczekuję od ciebie, żebyś mnie w jakiś sposób podbudował, żebyś powiedział, że moje skrupuły są bezpodstawne. To znaczy wiesz... zawsze uważałem, że mój udział w całej tej sprawie był błahy, i że wyrok skazujący zapadł przede wszystkim na podstawie dowodów kryminalistycznych.

Nie można powiedzieć, że Nigel się kręcił na ławce; był za gruby na to, żeby w ten sposób interpretować jego ruchy.

– No taaak, ale dowody z medycyny sądowej tylko wskazały na związek chłopaka z miejscem zbrodni, a przecież on nie zaprzecza, że tam był. Nie wypiera się tego, że jej dotykał czy nawet że zdjął poduszkę z jej twarzy. Żadna z tych rzeczy jednak nie była ostatecznie rozstrzygająca. Lizzie nie miała na twarzy śladów jego paznokci, a on za paznokciami jej skóry.

– Ale po całym pokoju zbierali odciski jego palców.

– Bo tam były kociaki. A on dwukrotnie przychodził je oglądać... przynajmniej tak mówił. Tylko Lizzie mogłaby temu zaprzeczyć. Jedno jest pewne, Tom: przysięgli mu uwierzyli. Sam wiesz, jak długo zastanawiałem się, zanim powołałem go na świadka. Nie bałem się, że się załamie pod tą całą presją i zacznie głupio łgać; wiedziałem, że tego nie zrobi. Sądziłem, że zachowa się jak mały bezczelny sukinsyn, którym był. Ale w tym wypadku się to opłaciło. Stał prosto, patrzył im w oczy, był dobrze ułożony, przyznał, że owszem, jest niegrzecznym chłopcem, że wagarował, a także, że przyszedł do domu zamordowanej, ale tylko po to, żeby zobaczyć kociaki, i że na widok ciała był kompletnie zdruzgotany. A kiedy na górze, przy schodach, zobaczył złego faceta, to się przeraził, bo myślał, że ten facet go zabije, i wobec tego nic nikomu nie powiedział. U dorosłego takie zachowanie mogłoby zostać uznane za dziwne, ale u dziesięciolatka było całkowicie normalne. Bez przerwy na nich patrzyłem. Oni mu uwierzyli, Tom. Gapili się na tego dzieciaka i nie wierzyli, że mógł to zrobić. I ja nie wierzyłem, chociaż wiedziałem, że to zrobił.

– I to ja ich o tym przekonałem?

– Ty ich przekonałeś, że był do tego zdolny. Zanim Smithers z tobą skończył, zdążyłeś im powiedzieć, że Danny jest zdolny do odróżniania fantazji od rzeczywistości. – Nigel wyliczał punkty na palcach. – Że w pełni rozumiał, że zabicie kogoś nie jest jedynie niegrzecznym zachowaniem, tylko poważnym złem. Że w pełni rozumiał, że śmierć jest stanem permanentnym i nieodwracalnym. Nie chcę przez to powiedzieć, że nie miałeś racji, ale to Danny'emu nie pomogło. Kiedy skończyłeś, Danny nie był już w oczach przysięgłych grzecznym chłopczykiem, tylko cwanym małym mordercą.

– Wtedy nic nie powiedziałeś.

– A co miałem mówić? Wzięty w taki wrogi, krzyżowy ogień pytań zrobiłeś dla chłopaka, co mogłeś. Tego dnia Smithers przeszedł samego siebie. Wiele osób bardziej doświadczonych od ciebie by tego nie wytrzymało. Byłem zdegustowany. Nie można traktować biegłego sądowego jak wroga, a on był tego bardzo, ale to bardzo bliski. Pamiętam, jak w pewnym momencie Duncan powiedział: „No, to już wystarczy. Możemy wszyscy iść do domu", i rzucił długopis na notatnik.

Duncan był obrońcą.

– Aż tak źle było?

– Nie wiem, czy źle. Faktem jest, że gnojek trafił za kratki. Co było słuszne.

– Ja tego tak nie widziałem. Nie sądziłem, że moja opinia miała jakikolwiek wpływ na wyrok.

– Owszem, miała. W długim procesie jest zawsze taki kruchy moment. Przysięgli nie podchodzą do sprawy racjonalnie, krzesła są za twarde, na sali jest zbyt duszno, sprawa ciągnie się dzień za dniem całymi tygodniami. Czy wiesz, jak długo przeciętny człowiek jest w stanie utrzymać uwagę? Dwadzieścia minut. A słuchali Danny'ego godzinami. Myślę, że w jakiś szczególny sposób go podziwiali. W każdym razie ja go podziwiałem. Ale widać było, że przysięgli myślą: bo ja wiem, wygląda na to, że chłopak jest w porządku... I wtedy przyszedłeś ty i zaprezentowałeś inne spojrzenie na Danny'ego.

– Nie zmieniłem ani jednego faktu.

– Nie, ale zmieniłeś sposób, w jaki go postrzegano. Załatwiłeś go. I mogę ci nawet powiedzieć dokładnie, w którym momencie. Smithers pytał cię, czy Danny rozumie, że śmierć jest stanem permanentnym. Pamiętasz? A ty zacytowałeś słowa chłopaka: „Jak ukręcisz łeb kurczakowi, to chyba nie myślisz, że następnego dnia rano ten kurczak będzie biegał po podwórku?"

– Ale on mówił o kurczakach. Żył na kurzej fermie, na miłość boską!

– To nie ma znaczenia. Wszyscy... – Nabrał tchu, dokładnie tak, jak to robił Danny.

– Danny to pamięta.

– Naprawdę? – Zdziwił się Nigel. – To interesujące.

Tom zastanawiał się chwilę, po czym powiedział:

– Nigdy nie miałem w tej sprawie wygodnej sytuacji, ponieważ Smithers przypierał mnie do muru. Wiem, że to robił. Nie było szansy na uściślenie czegokolwiek – wszystko bagatelizował.

Nigel odchrząknął.

– Ja bym cię tak bardzo nie potępiał. Zacytowałeś tylko jego własne słowa.

– Ale one się nie odnosiły do Lizzie.

– To była jego opinia. Cała ta sprawa nie miała w gruncie rzeczy większego znaczenia, bo Lizzie była stara i swoje przeżyła. A ty tylko zdarłeś maskę i w porządku, przez ciebie przegrałem sprawę. – Wzruszył ramionami. – Dobrze, że się ktoś taki znalazł, bo gdyby go nie posadzili, to znów by to zrobił.

– Naprawdę w to wierzysz?

– Jasne. Był na bardzo dobrej drodze. Zaprzyjaźniać się ze starszymi paniami, okradać je z pieniędzy, a jeśli stają na drodze, to ciach! – i już. Myślę, że możesz sobie pogratulować. A jeśli masz z nim jakieś kłopoty, to daj znać na policję.

Tom siedział, zatopiony w myślach, dopóki Nigel dyskretnym ruchem nie zwrócił jego uwagi na puste szklanki. Zmusił się, żeby podejść do baru, i zamówił dla Nigela duże piwo, a dla siebie małe.

Po powrocie zastał Nigela pogrążonego w pogawędce z dwoma adwokatami i rozmowa w naturalny sposób zeszła na inne tematy.

Kiedy w pół godziny później wychodzili z pubu, Nigel najpierw celowo zwlekał, po czym odciągnął Toma na bok.

– Tylko nie daj mu się omotać. Powiedziałeś prawdę. A jeśli chcesz znać moje zdanie, to jedynym błędem, jaki popełnił wymiar sprawiedliwości, było wypuszczenie gnojka na wolność.

Skinął głową i przyspieszył kroku, żeby dogonić swoich kolegów, którzy lawirując w kolorowo ubranym tłumie, przypominali ławicę ciemnych ryb.

Rozdział dziesiąty

Danny starannie włożył z powrotem do pudełka spaloną zapałkę.

– Myślałem o tym twoim nauczycielu angielskiego – powiedział Tom. – Przypomnij mi, jak on się nazywał.

Danny zrobił się czujny.

– Angus MacDonald.

– Byliście ze sobą blisko?

– Tak, chyba tak. – Strząsnął popiół z papierosa. – To było dawno temu.

Jeśli nie liczyć pykania płomienia gazowego i łomotania okien w porywach wiatru, panowała cisza.

– Wiesz co – powiedział nagle Danny – przez cały dzień myślałem: nie, ja przez to nie przejdę, nie dam rady, a teraz, odwrotnie, wydaje mi się, że owszem, dam radę. – Spojrzał na stojącą na biurku Toma lampę z czerwonym abażurem. – Nie wiem, od czego zacząć.

– Mówiłeś, że z Angusem zacząłeś od drobnych spraw. Związanych z farmą.

– Tak...

– Opisywałeś mu różne rzeczy...

– Aha, zacząłem od tego, że kiedyś, w zimowy wieczór, leżałem już w łóżku i obserwowałem refleksy światła na ścianie. Słyszałem też krzyki i wołania ludzi na podwórku. I czułem się jak wygnaniec, no wiesz, tak się czują dzieci, kiedy im każą iść spać, a na dole jeszcze wre życie.

– Czyje to były głosy?

– Mojej matki i Fiony, dziewczyny, która u nas pracowała.
A czasem i ojca – ale rzadko. O tej porze był już zwykle w pubie.

– I co oni robili?

– Zaganiali kury na noc. Bo mieliśmy trochę kur na swobodzie,
no niezupełnie na swobodzie, w każdym razie było to lepsze niż
chów bateryjny. Czasem chodziłem z matką do kurników i widziałem podnoszące się łebki, bystre oczka, krótkie szarpane ruchy,
potrząsanie grzebieniami. Przemykałem się ścieżkami, o tak. –
Zgarbił się i skrzyżował ręce na piersi. – Bałem się, że mnie po-
dziobią. Nie wiem dlaczego, bo przecież nieraz byłem podziobany.
Kurczaki nie żyły długo. Kiedy osiągały pewien krytyczny moment,
ojciec ukręcał im łby. Czasami je bujał za szyję, uderzając mnie
takim martwym kurczakiem w twarz.

– Jak myślisz, dlaczego to robił?

– Krzywiłem się, nie podobało mi się to. Na jednym z pól trzymaliśmy w zagrodach młode nioski. Była wśród nich jedna biała, bardzo
chuda, którą inne dziobały. Wyskubały jej wszystkie pióra i całą skórę
miała czerwoną, jak jedną wielką ranę. Tata powiedział, że będzie
musiał ją zabić. Nie chciałem, żeby to zrobił, i powiedziałem: „Czy nie
moglibyśmy jej wsadzić do innego wybiegu, samej, dopóki nie podroś-
nie?" – Danny nabrał tchu. – I wtedy zmusił mnie, żebym to zrobił.

– W jaki sposób?

– W jaki sposób mnie do tego zmusił? Nie wiem. Wiem tylko,
że musiałem to zrobić. No wiesz... pociągasz i wykręcasz, i... –
Dłonie Danny'ego wykonywały drobne, embrionalne ruchy. – Oczy
zachodzą mgłą i... po wszystkim.

– Ile miałeś wtedy lat?

– Sześć. – Danny pochwycił wyraz twarzy Toma. – To wszystko
w ramach programu robienia z chłopca twardziela. Może miał
rację. Może było mi to potrzebne.

– Dlaczego tak uważasz?

– Do piątego roku życia byłem tylko z mamą i z jej rodzicami.
Tata był w wojsku.

– Dlaczego nie mieszkaliście razem z nim w bazie?

– Owszem, mieszkaliśmy, urodziłem się w Niemczech, ale mama
po porodzie miała depresję. Wygląda na to, że jak ojciec przycho-

dził do domu, ja się darłem w jednym pokoju, a mama siedziała zmęczona na krześle w drugim. I kiedy wychodził, była mniej
więcej w tej samej pozycji. Myślę, że starczało jej sił tylko na to,
żeby mnie nakarmić i utrzymać w czystości. I to wszystko. W tym
czasie przerzucili ojca do Irlandii Północnej, a tam już rodzin nie
puszczano. Dlatego matka wróciła do rodziców. Sądzę, że to miało być tylko czasowe, ale jak raz opuściła bazę, to już do niej nie
wróciła.

– To niewiele widywałeś ojca?

– Przyjeżdżał do domu na urlopy. Zawsze cieszyłem się, jak
wyjeżdżał. A potem był na Falklandach, potem znów w Irlandii
Północnej i potem nagle – wylądował w domu.

– Na dobre?

Danny roześmiał się.

– Raczej na złe. W każdym razie na stałe.

– Jak było?

– To był kataklizm. Przynajmniej dla mnie. Mam dwie swoje
fotografie w wieku mniej więcej czterech–pięciu lat. Na jednej
siedzę na kolanach u mamy w T-shircie z Misiem Paddingtonem,
a na drugim – zaledwie w dwa miesiące później – mam na sobie
kamizelkę kuloodporną, a w ręku spluwę.

– Zabawkę?

– Nie, prawdziwą, jego. Dał mi potrzymać.

– I podobała ci się?

– Pewnie, uważałem, że jest wspaniała.

– To co – nastąpiła zmiana przymierza, tak?

– Hmmm, można powiedzieć, że trafiłeś w dziesiątkę.

Tom zastanawiał się przez chwilę.

– Na czym polegały niektóre z tych zmian?

– Chciałbym być tu naprawdę uczciwy – było dużo rozrabiania,
kotłowaniny, krzyków… ja tego nigdy nie miałem. Bo chociaż
mieszkaliśmy wtedy z rodzicami mojej mamy, to dziadek… dziadek
bardziej przypominał starą babę niż prawdziwego dziadka.

– A ty lubiłeś te zabawy?

– Przeważnie tak. Tylko że on był w gorącej wodzie kąpany.
Kiedyś graliśmy w krykieta i oberwałem w nogę, i zacząłem ryczeć,

a wtedy ojciec rzucił we mnie kijem krykietowym. W e m n i e, rozumiesz? Wylądowałem w szpitalu i... nie wiem, dlaczego tak się stało, ale sytuacja się pogorszyła. – Mówiąc, Danny masował sobie czoło. – Przypuszczam, że nie byłem takim dzieckiem, jakie sobie wymarzył, muszę się z tym pogodzić, ale to nie wszystko... na pewno mu to nie posłużyło, że ledwie wrócił z Falklandów, a już w przeciągu miesiąca, dosłownie w przeciągu miesiąca, był w Irlandii Północnej.

– Mocno przy tym popijając.

– Tak. Skąd wiesz?

– Na podstawie czegoś, co kiedyś powiedziałeś. Ale mów dalej. Powiedziałeś, że sytuacja się pogorszyła. W jaki sposób?

– Zaczął mnie cholernie bić. Miał taki gruby czarny skórzany pas. Trzymał go zawsze na stole, koło telewizora i... za byle co obrywałem.

– Ale nie zawsze.

– Nie, nie zawsze.

Zaległa dłuższa cisza. Gdzieś na ulicy, w innym świecie, rozległy się szybkie kroki.

– Dużo o tym myślałem. I naprawdę wierzę, że on uważał, że postępuje słusznie. Ale był bardzo wybuchowy i prymitywny w sposobie myślenia. Kochał armię, a ta głupia suka, matka, z niczym sobie nie radziła, więc odesłał ją do domu, ale ona dalej sobie nie radziła. Wrócił z wojska, a ona dalej sobie nie radzi.

– Matka ciągle była w depresji, tak?

– W każdym razie nie wtedy, kiedy mieszkała z rodzicami, wtedy nie. Ale potem, na farmie, tak. Tylko że tam każdy wpadłby w depresję.

– I ojciec miał pretensję do matki, tak?

– O to, że musiał odejść z armii? Tak.

– A ona do kogo miała pretensję?

– Do siebie. Tak myślę. Wydaje mi się, że to był... rodzaj mitu. W wojsku świetnie się ojcu wiodło, ale przez nią musiał opuścić armię i to był koniec jego błyskotliwej kariery. A matka w to wierzyła. Jestem przekonany, że wierzyła, przypuszczam, że nigdy nie wątpiła w swoją winę.

– I tak było rzeczywiście?

Tom dostrzegł u Danny'ego lekkie zniecierpliwienie.

– Bóg jeden raczy wiedzieć. Kiedy chodzi o rodziców, to najlepiej trzymać się mitów, bo i tak człowiek nie dowie się prawdy. To jest po prostu niemożliwe. A zresztą, właśnie mity kształtują człowieka.

– Mimo to chciałbym usłyszeć, co teraz o tym myślisz.

W odpowiedzi Danny westchnął głęboko.

– Zanim ojciec poszedł do wojska, jakoś nie potrafił się niczym zająć.

– Przepraszam, możemy się na tym zatrzymać? Skąd to wiesz?

– Od babki, która go nie lubiła, więc źródło nie jest bezstronne.

– A matka?

– Nigdy nie powiedziała na niego złego słowa. Nigdy, przenigdy.

– Dobra, mów dalej.

– Ja myślę – ale to jest tylko podejrzenie – że z Falklandów wrócił w znacznie gorszej formie, niż się do tego przyznawał. Może nawet był to sposób na honorowe urwanie się stamtąd. A zresztą, może próbuję go tłumaczyć, może był zawsze brutalnym skurwysynem, który i tak by mnie katował.

– Czy twój ojciec mówił kiedykolwiek o armii?

– Bez przerwy.

– Z żalem?

– Nie sądzę. Myślę, że w pierwszym roku na farmie był całkiem szczęśliwy. Był zajęty budowaniem, melioracją pól – tego rodzaju rzeczami. On to lubił. Na farmie była obora, którą zamienił na warsztat. Mama tam nigdy nie wchodziła, więc miał rodzaj pokoju do pracy.

– A ty tam wchodziłeś?

– Tak, wchodziłem. To były chyba najlepsze czasy. Obórka miała tylko jedno okno, tak brudne, że prawie nie przepuszczało światła, a ja siadałem na snopku słomy – do dziś pamiętam, jak mnie drapała pod kolanami – i patrzyłem, jak ojciec wali młotkiem i pali papierosa, jednego za drugim. Miał kręcone włosy i zawsze wokół tych włosów tworzyła się aureola światła słonecznego i dymu, i nigdy nie zapomnę jego niekończących się opowieści o armii. I o facecie, którego zabił w Belfaście. Przeszukiwali domy i ojciec go zastrzelił, a ten facet osuwał się bardzo wolno po ścianie, zostawiając na tapecie szeroką czerwoną smugę. I była jeszcze druga opowieść, tym razem z Falklandów: ojciec gonił kogoś, a kiedy facet się odwrócił, okazało się, że to jest dziecko – przypuszczam, że nastolatek, ale nie wyglądał na to. Wyglądał na jakieś dwanaście lat.

Tom był przerażony. Danny bezwiednie wszedł w rolę swojego ojca.

– I co się stało?

– Zabił go. A co miał robić?

– Pamiętasz, jak ci o tym opowiadał?

– Nie. Ale wiem, o co ci chodzi. Nie pamiętam. Sam zadawałem sobie to pytanie wiele razy. Czy bardzo to przeżył? Czy mówił do mnie, jakby mówił do... – Przerwał i potrząsnął głową.

– Do magnetofonu?

– Nie, do psa, chciałem powiedzieć. Bo mieliśmy psa.

– I co o tym sądzisz?

– Sądzę, że różni wrażliwi faceci zbyt łatwo – głos Danny'ego ociekał pogardą – przyjmują, że każdy, kto zabije człowieka, ma z tego powodu uraz. Jest wiele dowodów na to, że większość przyzwyczaja się do tego bardzo szybko. Ale... owszem, myślę, że dokuczała mu świadomość, że zabił dziecko. Chociaż nie tak bardzo. Chłopak był w mundurze i miał broń, więc odpowiedzialność za jego śmierć ponoszą ci, co go tam posłali. Jestem przekonany, że ojciec tak to widział.

– A ty co o tym myślisz?

– Myślę, że miał rację.

– To po co opowiadał ci te wszystkie historie?

– Może chciał jeszcze raz przeżyć tamte dobre czasy? Ojciec zawsze... mimo że na Falklandach wydarzyło się wiele nieprzyjemnych rzeczy, nigdy nie przestał na nie patrzeć jak na wielki uśmiech szczęścia. Wojsko to zwykle tylko próba przed tym, czego się na ogół nie robi. A on to zrobił. Był za to wdzięczny losowi.

Po krótkiej przerwie Tom zapytał:
– A dlaczego ojciec cię bił? Chodzi mi o to, co takiego robiłeś?
– Oddychałem.
– Aż tak było źle?
– Tak. W końcu nie potrafiłem nic zrobić dobrze. Na przykład ojciec zabierał mnie na króliki. Lubiłem to, lubiłem te wspólne wyprawy z nim i z Dukiem. Tylko że nie lubiłem zabijania królików. „Ale przecież będziesz je jadł, prawda?" – mówił zwykle i ciskał mi martwego królika w twarz. Pamiętam, jak kiedyś wracaliśmy, a ja wlokłem się za nim z tyłu. Był zimny, mroźny dzień i te króliki dyndały uwiązane u jego torby – oczy zmętniałe, w pyszczkach krew, bezwładne łapki.
– A ty co czułeś?
– Czułem się słaby, do niczego. Ale, zaraz, bo straciłem wątek. Już zapomniałem, dlaczego zacząłem ci o tym wszystkim mówić. A, już wiem, nie mogłem jeść potrawki z królika i dostałem za to pasem.
– Kiedy było ci najlepiej?
– Kiedy oglądałem wideo. On miał swoje papierosy i puszki piwa, a ja przysuwałem się do niego na sofie i zawsze kątem oka go obserwowałem, starając się naśladować jego miny.
– A co oglądałeś?
– Filmy wojenne. – Roześmiał się. – A co innego?
– Który zapamiętałeś najlepiej?
– *Czas apokalipsy*. Widziałem go trzy czy cztery razy.
– A czy to nie jest przypadkiem film antywojenny?
– To mu nie przeszkadzało. Po prostu opuszczał „anty". Lubił też horrory. Tylko dobre. Kiedyś oglądaliśmy *Amerykańskiego wilkołaka* i byłem tak przerażony, że się schowałem za sofą, a później, po kilku dniach, zacząłem pisać takie małe notatki, wiesz, drukowanymi literami, na przykład: TO NIEPRAWDZIWY WILK.
– Co zapamiętałeś z tego filmu?
– Scenę przeobrażenia. I... och, to przecież całe wieki, jak go oglądałem. Hmmm... no więc jest taka scena, że bohater idzie do kina i wzdłuż całego rzędu widzi rozkładające się trupy. To ludzie, których zabił, albo inne wilkołaki, nie wiem. – Przerwał

na chwilę. – W swoim pokoju w Long Garth miałem plakat *Czasu apokalipsy*. Wielkie czerwone słońce i fale. Szczerze mówiąc, nie wiem nawet, czy to nie ojciec mi go kupił.

– A coś innego, co zapamiętałeś jako przyjemne?

– Kiedy siedziałem w szopie i przyglądałem się, jak on coś robi. Głównie płoty, tego rodzaju rzeczy. Ojciec wychodził bez względu na pogodę. I matka zawsze mówiła: „Ale w taką pogodę chyba nie pójdziesz?" A on, stojąc w drzwiach kuchennych, odpowiadał: „Kiedy trzeba wyjść gwałtem, gwałt staje się wyjściem". – Danny roześmiał się. – A kiedy rzeczywiście trzeba było wychodzić gwałtem, to ten gwałt wkurzał.

Po krótkim milczeniu Tom zapytał od niechcenia:

– Czy byłeś dzieckiem maltretowanym?

Danny robił wrażenie zaskoczonego.

– Nie. To znaczy te bicia to może...

– Często się zdarzały?

– Często.

– A były brutalne?

– To zależy, co rozumiesz przez „brutalne".

– Zostawiały ślady?

– Zostawiały.

– Siniaki?

– Tak.

– Opuchlizny?

– Czasami.

– No więc byłeś maltretowany?

– Nie wiem. A według ciebie byłem?

Tom uśmiechnął się.

– To nie tak działa, Danny.

– No więc byłem maltretowany? – Danny znów zaczął masować czoło, tym razem zasłaniając ręką prawie całą twarz. – No cóż, myślę, że według nowoczesnych standardów, w porównaniu z większością dzieci, tak, byłem maltretowany. Lekko.

– To niewiarygodnie wyważona odpowiedź.

– I taka chyba powinna być. Gdyby to były lata osiemdziesiąte dziewiętnastego wieku, to wiadomo: mój syn, moja krew, musi być

100

prawdziwym mężczyzną i tak dalej. Każdy by pewnie uważał, że ojciec robi fantastyczną robotę.

– Ale to nie były lata osiemdziesiąte dziewiętnastego wieku.

– Wiem. Właśnie coś takiego powiedziałem. Że według nowoczesnych standardów pewnie byłem maltretowany.

Tom czekał.

– Lekko.

– Lekko?

– Tak, lekko. Nie byłem zaniedbywany, molestowany seksualnie, głodzony, torturowany, pozostawiany bez opieki rano, w południe i wieczór, oblewany wrzątkiem, przypiekany ogniem... a to wszystko się zdarza.

– Wiem.

– Ojciec się mylił, ale uczciwie wierzył, że postępuje słusznie.

– A co według ciebie było najgorsze?

– W biciu?

– Nie, w ogóle najgorsze.

– Jak mnie zawieszał na kołku. Zawieszał. Nie wieszał.

– Dlaczego to robił?

– Nie wiem. Pewnie byłem wrzaskliwy. Podsadzał mnie do kołka, zahaczał o niego moją kurtkę i tak mnie zostawiał, żebym się darł.

– Na jak długo?

– Niedługo. – Danny westchnął głęboko. – Zdecydowałem się nie mówić: „Byłem maltretowany, więc..." Bo to nie jest aż takie proste.

– Nie jest.

– Trudno zaprzeczyć, że próbował być dobrym ojcem i że stanowił przedmiot mojego podziwu i uwielbienia. Był wysoki, był silny, miał tatuaż, który się skręcał, kiedy ojciec zaciskał pięść, miał broń, zabijał ludzi... uważałem, że jest, kurczę, nadzwyczajny.

Chwilę potrwało, zanim do Toma dotarło, że Danny nie zasłania się brutalnością ojca, żeby usprawiedliwić swoje zachowanie. To było coś znacznie bardziej wyrafinowanego. Danny mówił o moralnych kręgach, o grupie ludzi (i zwierząt) znajdujących się wewnątrz kręgu, w którym nie wolno zabijać, i o innych, spoza tego kręgu, którzy nie cieszą się takim immunitetem. Dla ojca Danny'ego psy, koty i większość ludzi znajdowała się wewnątrz uprzywilejowanego kręgu. Kurczęta, skazani mordercy, króliki, żołnierze wrogich wojsk, zwierzęta z farmy, cywile wrogiego kraju (w niektórych okolicznościach), dzikie ptactwo, dzieci (w mundurach), włamywacze złapani na gorącym uczynku i Irlandczycy, o ile byli podejrzani o terroryzm i stosownie ostrzeżeni – znajdowali się poza nim. A Danny, mały chłopiec w krótkich spodenkach, siedział na snopku szorstkiej słomy i słuchał. Wynikało z tego oczywiste pytanie: Powiedziałeś, że w pełni rozumiałeś, że zabijanie jest złem. Czy jesteś tego pewien?

Okazało się, że mówienie o rozpadzie małżeństwa rodziców jest dla Danny'ego znacznie trudniejsze.

– Co się popsuło? – zapytał Tom.

– Farma zaczęła upadać. Głównie chodziło o to, że jak już ojciec przeprowadził meliorację pól i porobił wszystkie ogrodzenia i tego rodzaju rzeczy, stracił dla gospodarstwa całe zainteresowanie. Nie miał serca do kurczaków, to znaczy do tego, żeby je utrzymywać przy życiu, tak sądzę. A cały dowcip w hodowli bateryjnej niosek polega właśnie na tym, żeby je utrzymywać przy życiu, przynajmniej przez dwa lata. Nie można im ukręcać łebków, a potem narzekać, że się nie niosą. Poza tym ciężka praca na roli to było coś poniżej jego godności. W każdym razie tak uważał. Był oficerem i dżentelmenem, więc wydawało się zrozumiałe, że jeśli jest farmerem, to jest farmerem dżentelmenem. Wiele czasu spędzał w barze „Red Lion", stawiając kolejki za pieniądze, których nie miał. Właściciele baru śmieli się z niego za plecami i dopisywali mu datę do rachunku...

– To pewnie znów informacja od twojej babki?

Uśmiech.

– Tak. Nie lubiła patrzeć, jak matka haruje, wykonując naprawdę ciężką fizyczną pracę, podczas gdy on podpiera bar. I trudno jej się dziwić.

– Słuchałeś, jak kobiety między sobą rozmawiały?

– Słuchałem.

– I co czułeś?

– Byłem wściekły. Ponieważ w moim pojęciu on nie mógł zrobić nic złego.

– Mimo bicia?

– To była moja wina.

Tom pozwolił, by przez jakiś czas trwała cisza.

– A więc kłopoty finansowe.

– Tak. A potem matka wymacała sobie guz na piersi i musiała iść na amputację. Pojechałem z tatą do szpitala, ale musiałem czekać w samochodzie. Zostawił mnie zupełnie samego, a ja zabawiałem się łażeniem po kałużach. Wydawało mi się, że nie ma go całe wieki, a kiedy wrócił, pokazał na jedno z okien. Matka zwlokła się z łóżka i podeszła do okna, żeby mnie zobaczyć. Ojciec powiedział: „Popatrz, tam jest". Zacząłem machać rękami jak szalony, ale były setki okien. Nie śmiałem się przyznać, że jej nie widzę. Ale dopiero kiedy matkę wypuścili ze szpitala, naprawdę zeszliśmy na psy. Praktycznie nie mogła nic robić. Wzięli do pomocy dziewczynę, Fionę, no i ojciec zaczął się urywać, ale nie sądzę, żeby w ogóle zdawał sobie sprawę z tego, co matka przeżywa. A głupie żarty, kiedy straciła włosy, na pewno nie pomogły. Pewnego dnia szedłem, pamiętam, przez pole do obory, czyli warsztatu ojca, i usłyszałem śmiech Fiony. Nie mam pojęcia, dlaczego nie wparowałem do środka, w każdym razie tego nie zrobiłem. Zajrzałem tylko przez okno i zobaczyłem ich na słomie, jak się zabawiali w najlepsze.

– I co zrobiłeś?

– Odszedłem. – I po chwili milczenia Danny dodał: – Ale wiesz, co było w tym najgorsze? Że za wszystko winiłem matkę. To był naprawdę straszny okres. W jakiś czas potem ojciec się ulotnił. I, dziwnym zbiegiem okoliczności, Fiona też.

– Ile miałeś wtedy lat?

– Dziewięć i trzysta sześćdziesiąt dwa dni. To się stało na trzy dni przed moimi urodzinami. Byłem przekonany, że ojciec zostawił mi gdzieś prezent. Splądrowałem cały dom, ale on oczywiście wszystko dokładnie wyczyścił – wszystkie szuflady i szafki były puste. I wtedy pomyślałem: na pewno zostawił mi prezent w szopie. I kiedy to pomyślałem, natychmiast stało się dla mnie jasne, że ojciec musiał właśnie tak zrobić. Pobiegłem tam i zacząłem szukać, i znalazłem jego lornetkę – wisiała pod starą kurtką. Jakoś zdołałem sam siebie przekonać, że on ją tam schował specjalnie, że to był właśnie prezent dla mnie, tylko że ojciec nie zdążył go zapakować. Cały czas nosiłem tę lornetkę na szyi. I nawet kładłem się w niej spać, i w ogóle. Ta lornetka była naprawdę mocna; mogłem przybliżyć nią sobie obraz, tak że widziałem nawet włoski na czyimś nosie, jeśli chciałem. A ten człowiek wcale o tym nie wiedział. Pamiętam, jak zobaczyłem matkę przechodzącą przez podwórko z wiadrami karmy, i zwróciłem uwagę, że ma ręce czerwone, jakby obdarte ze skóry. Właśnie wróciła ze szpitala po trzeciej porcji chemioterapii i cały czas miała okropne mdłości, ale tak czy siak, trzeba było nakarmić te cholerne kury. Wiem, że powinienem był iść i jej pomóc, ale nie poszedłem. Pokręciłem lornetką i matka stała się maleńka jak żuk pełznący po podwórku.

Znów zapadła cisza.

– I w dalszym ciągu uważałeś, że to jej wina?

– Tak.

– Widziałeś się z ojcem przed procesem?

– Nie. I nie zobaczyłbym się nawet i na procesie, gdyby go gazety nie znalazły.

– Przychodził codziennie.

– Zawstydzili go.

– I odwiedzał cię w Long Garth.

– To z próżności. Jego syn w szkole z internatem. Ale kiedy tylko próbowałem z nim o czymś porozmawiać, natychmiast wstawał i wychodził. Mówiłem ci. Widziałem go potem przez okno, jak idzie podjazdem, prawie biegnąc.

– Co czułeś, patrząc, jak odchodzi?

Na twarzy Danny'ego pojawił się błysk zniecierpliwienia.

– A jak myślisz, co mogłem czuć?

– Ja nie chcę zgadywać, Danny. Chcę, żebyś mi powiedział.

– Nic specjalnego. Już wcześniej to widziałem, odchodził nie pierwszy raz. Był w tym naprawdę dobry.

Danny robił wrażenie wykończonego.

– Myślę, że na razie dajmy sobie spokój – powiedział Tom.

Może nie był to najlepszy moment na przerwanie rozmowy, ale żaden moment nie byłby dobry. Cokolwiek się podczas tych sesji wydarzy, Danny i tak będzie z tym sam. Tom próbował sobie wyobrazić pokój, do którego chłopak wróci.

Na chodniku Danny zawahał się; dwie latarnie uliczne spierały się o jego cień.

– No, dobrze – powiedział. – To do czwartku.

Krótki, wymuszony uśmiech i – już go nie było.

Rozdział jedenasty

O szóstej Tom poddał się, zrozumiał, że już nie zaśnie. Włożył dres i adidasy i wyszedł z domu. Rzeka była gładka jak lustro, ale w miarę jak słońce pięło się w górę, nasilał się wiatr, znacząc powierzchnię brunatnych wód drobnymi zmarszczkami i wykwitami piany. Uwielbiał to: zapach morza w porannym wietrze i miasto ze stromymi uliczkami, biegnącymi zboczem w dół, ciche w czystym powietrzu.

Biegnąc, mijał puste magazyny, zamknięty w kapsule własnych dźwięków: głośnego dyszenia, pulsującej krwi, tupotu stóp. Myślał o Lauren: o wiadomościach, jakie jej zostawiał na sekretarce, o jej chłodnym głosie, kiedy mu odpowiadała. Lauren zdecydowała, że koniec z nimi, a fakt, że Tom nie wsiadł natychmiast w pociąg i do niej nie pojechał, świadczył o tym, że podzielał jej zdanie.

W najbliższy weekend miała przyjechać do domu i Tom obawiał się, że będzie to jej ostatnia wizyta. Pół nocy spędził nad sposobami ratowania sytuacji. Może długi urlop? Ale ona zaczynała właśnie semestr, a on musiał skończyć książkę. Półroczna separacja na próbę? Ale przecież i tak praktycznie żyli w separacji. Mieli aż za dużo czasu na przemyślenie swoich spraw. Zatrzymał się przy jednym z opuszczonych nabrzeży i oparty o zardzewiałą balustradę, łapał oddech. Daleko w dole rzeka pociła się plamami oleju.

Po powrocie do domu zjadł na siłę dwa tosty i wyruszył na dworzec. W dalszym ciągu zamyślony, zaparkował samochód, kupił gazetę, sprawdził, na który peron przyjeżdża pociąg, po czym automatycznie zaczął się przechadzać po peronie tam i z powrotem, nieświadom kwaśnego zapachu zastarzałego dymu ani mijających go w pośpiechu ludzi. I wtedy nagle z powrotem znalazł się w swoim ciele, w swoim życiu, w tym czasie. Głęboko zaczerpnął tchu.

Pod wpływem panującego na dworcu smrodu pomyślał, że gdzieś w górze, pod szklanym dachem, uwięzione wraz z całą chmarą złotookich gołębi, kryją się duchy pociągów parowych z przeszłości: spaliny dieslowskich lokomotyw, palący się koks, mokry węgiel, ulatujący powoli z peronów dym i pasażerowie wyłaniający się po długiej podróży z ciemnymi od sadzy twarzami i przekrwionymi białkami oczu.

Lauren miała na sobie srebrnoszare spodnium, jej oczy nawet w najmniejszym stopniu nie były zaczerwienione. W nocy powtarzał sobie niezliczone wersje tego, co wiedział, że Lauren z pewnością powie. Czy wyrzuci to z siebie zaraz, jeszcze na dworcu? Nie, to byłoby nie w jej stylu. Zaczeka do wieczoru i powie mu przy kolacji, topiąc przykre wiadomości w litrach czerwonego wina? Ryzykując nieuchronną awanturę, która z tego wyniknie? Powinien być mądrzejszy. Lauren szła w jego kierunku peronem, wymachując dwiema wielkimi ewidentnie pustymi walizkami. Nie musiała nic mówić.

Odruchowo chciał wziąć od niej walizki.

– Nie ma potrzeby – odparła, unosząc je w górę i opuszczając na dół, żeby zademonstrować, jakie są lekkie.

Wyszli z dworca do samochodu. Lauren uniosła twarz, wystawiając ją na mżawkę.

– Dlaczego tu zawsze pada?

– Pada wszędzie.

– Nie wszędzie. W Londynie było pięknie.

Wrzuciła walizki na tylne siedzenie i usiadła obok niego. W samochodzie pachniało wilgocią i chłodem. Kiedy Tom włączył ogrzewanie, szyby zaszły mgłą.

– Zamierzasz zabrać ze sobą trochę rzeczy, tak?

Obróciła się do niego w mrocznym świetle.

– Szczerze mówiąc, to trochę za mało powiedziane. Uważam, że nam się nie układa, ani mnie, ani tobie. Dlatego postanowiłam, no wiesz...

– Wyprowadzić się.

– Tak, mam zamiar wystąpić o rozwód.

Nie było sensu prowokować jej jakimiś prostymi argumentami, była najwyraźniej przygotowana na wszystko.

– Rozwód. – To słowo wywołało w nim szok. Myślał o separacji, o... nie sądził, że z jej strony sprawy zaszły aż tak daleko.

– Nie układa nam się, Tom, chyba to widzisz?

Mógłby upierać się, że jest inaczej. Jak długo czuje, że ich małżeństwo pozostaje żywe, Lauren nie może jednostronnie uznawać go za skończone.

– Widzę.

Podniósł do góry dźwigienkę zraszacza i woda trysnęła na przednią szybę. Skrzyp, skrzyp – zawodziły wycieraczki. I jeszcze raz – chlup.

– Nie będziemy tu przecież siedzieli cały dzień – powiedział.

– Nie wycofuj, nic nie widać.

– Jest w porządku, za chwilę zacznie działać ogrzewanie.

Ale Lauren wysiadła, sięgnęła do tylnej szyby i starła z niej wilgoć. Jej twarz, z profilu, była poważna, napięta, zdenerwowana. Wszystko, cokolwiek się z nim wiązało, było złe, ale widocznie uznała, że to jedyna metoda na przebrnięcie przez całą tę historię.

Kiedy już bezpiecznie wycofał samochód, zapytał:

– Czy wyjeżdżasz jeszcze dzisiaj? – Zadał to pytanie chłodnym, spokojnym tonem. Nic z tego jeszcze do niego nie docierało.

– Nie, pomyślałam, że zostanę na weekend. Jeżeli nie masz nic przeciwko temu.

– Zapraszam.

Ta wymiana zdań okazała się korzystna dla obojga. Resztę drogi do domu odbyli w możliwej do zniesienia, podszytej lekką irytacją ciszy.

Ale ta cisza nie trwała długo. Rozmowę winni byli swojemu małżeństwu i dlatego rozmawiali, bez końca, chociaż wcale nie dlatego, że zostało jeszcze coś do powiedzenia.

Kolację zjedli w chińskiej restauracji, której ciemnoczerwona kosmata tapeta sprawiała, że Tom poczuł się, jakby został uwięziony w czyichś wnętrznościach, wyłożonych jakimś dziwnym futerkiem. „To małżeństwo", jak je zaczęli nazywać, siedziało z nimi przy stoliku. Zamówili jedzenie, które skubali bez apetytu, i litrową butelkę wina, którą opróżnili w rekordowym tempie.

– Problem polega na tym – powiedziała Lauren niezbyt pewnym głosem – że ja nie wytrzymuję sytuacji, w której nie jestem pożądana. Wiem, że to nie twoja wina, że nic nie możesz na to poradzić, że tego nie chciałeś, i nie mam do ciebie pretensji, naprawdę, możesz mi wierzyć, ale ja tego po prostu nie wytrzymuję. Czuję się... czuję się kompletnie, całkowicie upokorzona. Jakbym była zasuszoną, pomarszczoną staruszką.

– Wcale nie jesteś. Jesteś piękna.

– Ale tak się czuję.

– Bardzo mi przykro. – Tom bezradnie rozłożył ręce. – Naprawdę nie wiem, co mam powiedzieć, poza tym, że to moja wina. W każdym razie nie twoja. Tak samo nie rozumiem, dlaczego tak się stało, jak ty.

– Ale ja już dłużej nie mogę.

– Jasne, że nie możesz. Wcale mnie to nie dziwi. – Zapadło milczenie i po chwili Tom podjął: – Nie mogę nawet powiedzieć: „Poczekajmy jeszcze pół roku, na pewno będzie lepiej", bo... bo to nie jest tak. Nie wiem, co mógłbym jeszcze powiedzieć.

W domu, przy drugiej butelce wina, okazało się, że jednak mają jeszcze wiele do powiedzenia, i to oboje. W kółko na okrągło, wte i wewte. Faktem jest – pomyślał Tom w jednej z chwil całkowitej jasności, typowej dla stanu upojenia alkoholowego – że istotnie potrzebna im była krótka rzeczowa rozmowa, na którą jednak nie mogli się zdobyć, wydawała im się bowiem obrazą tego wszystkiego, co wydarzyło się między nimi w ostatnich dziesięciu latach. Dlatego to zawieszali, to wznawiali skomplikowane przegadane dochodzenie. Wreszcie, o świcie, wyczerpani, zaczęli się kłócić na dobre, po to jednak, by w samym środku awantur, dojść – ku wspólnemu lekkiemu zażenowaniu – do wniosku, że już się za mało nawzajem znają.

Następnie przystąpili do omawiania praktycznych szczegółów rozstania. Czy trzeba będzie sprzedać dom? A jeśli tak, to jak się sprawiedliwie podzielić pieniędzmi? Które meble zechce wziąć Lauren? Było w tej rozmowie coś lekko nieprzyzwoitego, jak w rozmowach o polisach ubezpieczeniowych, kiedy ich właściciel trzyma się jeszcze życia. Nic pożytecznego z tego nie wynikło, ale sam fakt, że próbowali rozwiązać te przyziemne problemy, sprawił, że każde z nich – w przypadku Toma po raz pierwszy – uświadomiło sobie nieuchronność tego, co musiało się stać.

Spanie razem po tym wszystkim wydawało się równie absurdalne jak niespanie razem po dziesięciu wspólnie przeżytych latach. Tom rozebrał się w łazience, ale postanowił nie szukać piżamy. Zawsze sypiali nago i... byłoby głupio teraz to zmieniać. Mimo to, idąc do łóżka, czuł się jak oskubane kurczę.

Chłód w okolicy krocza przypomniał mu pierwszą koszmarną noc w szkole z internatem: dwa rzędy małych chłopców stojących w ciemności w nogach łóżek, podczas gdy wychowawczyni, koszmarne babsko, szła wzdłuż tych rzędów i biorąc przez białą ściereczkę genitalia jednego po drugim, oświetlała latarką fałdy skóry po obu ich stronach. Szukała naturalnie grzybicy. Ale oni o tym nie wiedzieli. Bóg jeden wie, jak sobie to tłumaczyli. Tom zapamiętał tę scenę bardzo dokładnie: zimno, ciemności, krąg światła, pochyloną rozmazaną twarz wychowawczyni i rzędy bladych, podobnych do żab małych chłopców.

Wślizgując się pod chłodne prześcieradła, zdał sobie sprawę, że wspomnienie tamtej nocy wywołało w nim nie tylko skrępowanie nagością wobec nieprzyjaznej widowni, ale także poczucie porzucenia.

Pocąc się, przysunął się do niej w ciemności, ślepy jak kret, a ona otworzyła się przed nim, obejmując go ramionami i wtulając twarz w jego sztywne włosy. Leżał, w połowie na niej, z jedną ręką zaciśniętą wokół jej szczupłego nadgarstka. Nie protestowała, ale Tom czuł, że wewnętrznie, tam, gdzie to się naprawdę liczyło, odsuwała się od niego. Ta jej uległość i łagodność bardziej niż cokolwiek innego przekonały go, że mówiła poważnie.

Po przyzwoitej przerwie wysunęła się spod niego, ale długo trwało, nim po jej równym oddechu poznał, że zasnęła, a jeszcze dłużej, zanim zdołał pójść w jej ślady.

Rano obudził się wcześnie. Przez szczelinę w jasnoszarych zasłonach sączyło się światło. W nocy Lauren skopała kołdrę i teraz leżąc, patrzył z podziwem na linię jej biodra, przywodzącą na myśl postawioną na boku wiolonczelę, i na delikatny złocisty puszek u nasady pleców.

Jego członek był boleśnie twardy. Rychło w czas – pomyślał z goryczą.

Na śniadanie zrobili sobie kawę i grzanki. Jedli je w kuchni, na stojąco, po czym Lauren przez dwie godziny się pakowała. Powiedziała, że po meble i obrazy przyśle furgonetkę. Na początku przyszłego tygodnia zadzwoni i umówi się z nim na konkretny termin. Co do podziału rzeczy, to szczegóły uzgodnią później, przez telefon.

Z ulgą przyjął wiadomość, że nie muszą teraz kłócić się o rzeczy. Pragnąłby w ogóle się nie kłócić, ale widział wystarczająco wiele rozwodów, by zdawać sobie sprawę, jak niszczący potrafi być proces separacji. Siedział w salonie, słysząc, jak Lauren miota się na górze. Wszystko to wydawało mu się nierealne. Wreszcie spakowała, zamknęła i spięła pasami walizki. Zniósł je na dół do holu. Już teraz dom wydawał się pusty, mimo że nie zniknęło z niego nic, poza zawartością szafy i komody Lauren. Może jakaś jedna czy dwie ozdoby. Patrzył na ciemne kółko na zakurzonym gzymsie kominka w ich sypialni i usiłował sobie przypomnieć, co tam stało. Szczegóły ich wspólnego życia już zaczynały blaknąć.

Do pociągu mieli jeszcze dwie godziny. Nie wiadomo było, jak je spędzić. Ostatecznie, jak często w niedzielę rano, poszli na nadbrzeżny targ.

Puby były otwarte. Chodniki zatłoczone, ludzie z krótkimi rękawami, spoceni, hałaśliwi. Nagrzane, przesycone kurzem powietrze odświeżała leciutka bryza znad Tyne. Targ nie przypominał dziś tego sprzed lat – stał się bardziej turystyczną atrakcją niż miejscem, gdzie spadające z ciężarówek towary zmieniały właścicieli bez zbędnych formalności. Kiedyś na końcach alejek wystawiano tu czujki, których zadaniem było ostrzeganie handlarzy o nadchodzących policjantach.

W pobliżu mostu zebrał się tłum, więc poszli w tamtą stronę. Zobaczyli dwunasto- czy trzynastoletniego chłopca, ubranego tylko w szare szorty i tenisówki, bez skarpet. Chłopak stał, obejmując się ramionami, spoza których widać było małe, przypominające jagody sutki. Uwagę Toma zwróciła przede wszystkim jego sylwetka. Był mały jak na swój wiek, miał krótką szyję, krótki tułów, kurzą pierś i dziwny wyraz twarzy, typowy dla młodych gimnastyczek z krajów bloku wschodniego. Rozglądał się po kręgu otaczających go ludzi, a koło niego, na ziemi, leżał worek i zardzewiałe łańcuchy.

Nagle mocno wytatuowany mężczyzna z głośnym chrzęstem i dzwonieniem poderwał z ziemi łańcuchy i zaczął je obnosić przed kręgiem gapiów, wtykając je, niemal gwałtem, każdemu po kolei, żeby sprawdził moc ogniw. Długie ciemnoblond włosy miał związane w koński ogon, nosił wyszargane dżinsy i świecił gołym torsem. Tatuaże pokrywały dosłownie każdy centymetr jego ciała. Nad zwisającym paskiem widniały wytatuowane na czerwono-niebiesko słowa: MAGNES NA PICZKI.

Kilka osób, wśród nich Lauren, odeszło, urażonych chamskim napisem, ale większość została, ciekawa widowiska. Było w tym wszystkim coś bardzo nieprzyjemnego – pomyślał Tom – nawet obrzydliwego, chociaż półnagi chłopak nie zdradzał śladów maltretowania: nie miał na ciele skaleczeń ani siniaków. Był chudy, ale nie zagłodzony, i wydawał się bardziej znudzony czy obojętny niż zastraszony. W pewnym momencie wszedł do worka. Ojciec – jeżeli mężczyzna był jego ojcem – naciągnął mu worek na głowę i związał. Następnie zaczął go owijać łańcuchami, które zapinał na kłódki, tak że chłopak przypominał mumię z bandażami z żelaza.

Mała, chuda kobieta zaczęła walić w bęben. Mumia, wśród konwulsyjnych ruchów, pękała powoli z obu końców jak poczwarka. Tom tylko czekał, aż z worka pocięknie żółty płyn. Jeszcze seria konwulsyjnych ruchów, stękanie, skręty ciała i zgrzyt łańcuchów. Wydawało się, że nie ma żadnego postępu, kiedy nagle, wśród pomruków skupionego tłumu, odpadł pierwszy łańcuch. Chłopak najpierw zgiął się wpół, a następnie jednym ruchem wyprostował, trzymając nad głową ostatnią kłódkę.

Tłum zaczął klaskać w mizernym wybuchu entuzjazmu, który najwyraźniej rozwścieczył tatuowanego mężczyznę. Złapał chłopaka za ramię i wlokąc go przed frontem topniejącego kręgu gapiów, podtykał ludziom pod nos czapkę, niemal wytrząsając z nich drobniaki. Tom wrzucił mu cały bilon, jaki miał przy sobie, nie dlatego jednak, żeby uległ presji mężczyzny, tylko ze wstydu, że się tu w ogóle znalazł.

Żałosny spektakl tylko pogłębił jego depresję. Z ulgą oddalił się z tego miejsca i poszedł szukać Lauren. Chodził tam i z powrotem po zatłoczonych uliczkach, wypatrując jasnej blond głowy i myśląc, jakie to dziwne, że jeszcze tylko przez godzinę będzie miał prawo jej szukać. Targowisko liczyło nie więcej jak czterysta metrów długości, ale nigdzie nie widział Lauren. Nic nie mogło jej się stać. Mimo to ściskało go w gardle i dusiło w piersi, więc zaczął dość brutalnie przepychać się przez tłum. W końcu, nakazując sobie spokój, wszedł na kilka stopni i zaczął wolno, metodycznie wodzić wzrokiem z lewa na prawo i z prawa na lewo, aż wreszcie – zobaczył ją. Ale nie samą. Rozmawiała z wysokim ciemnowłosym mężczyzną, który stał do niego tyłem. Głowa mężczyzny wydała mu się jakaś znajoma, ale poznał go dopiero, kiedy tamten lekko się odwrócił. Danny Miller.

Nie istniał żaden powód, dla którego nie miałby się tu znaleźć. Był studentem, a targ stanowił jedno z nielicznych miejsc, w których studenci mogli sobie pozwolić na zakupy. Musiał poznać Lauren ze stojącego u niego na biurku zdjęcia i przystanął, żeby z nią porozmawiać. Dlaczego niby miałby tego nie zrobić? A jednak widok tych dwojga razem wzbudził w Tomie niepokój.

To dziwne – pomyślał. Spędził godziny, obserwując każdy najmniejszy niuans wyrazu twarzy Danny'ego, zwrócił uwagę na obskubane skórki, czyste paznokcie, wielkość źrenic, drobne zmiany w sposobie ubierania się i noszenia. Ale jakoś w trakcie tego procesu obserwacji przestał go widzieć. A przynajmniej przestał widzieć to, co widziała teraz Lauren. Wyjątkowo przystojnego młodego mężczyznę.

Danny miał wzrost, urodę i wdzięk. Trzynaście lat temu, patrząc na niego, jak stał przy pulpicie dla świadków, zadawał sobie pytanie: jak tyle rzeczy naraz może być słusznych? Z niemiłym uczuciem, że idzie po własnych śladach, jeszcze raz zadał sobie to pytanie.

Zaczął przedzierać się przez tłum, żeby się jak najprędzej do nich dostać, nie bardzo wiedząc, czy niepokoi się o bezpieczeństwo Lauren (a zresztą, co takiego mogłoby jej się tu stać?), czy po prostu czuje się zażenowany widokiem tych dwojga, stojących razem.

Dotarł do Lauren akurat w momencie, kiedy Danny znikał w tłumie.

– Kto to był?

– Chłopak, który próbował się utopić. – Miała rumieńce. – Cieszę się, że na niego wpadłam. Byłam ciekawa, co się z nim stało.

Stali naprzeciwko siebie. Lauren założyła za uszy luźne kosmyki włosów gestem, od którego widoku będzie się musiał odzwyczaić.

– No cóż... – zaczęła.

Gdzieś na wieży kościelnej zegar wybił godzinę.

– Trzeba wracać – powiedział Tom, chcąc jej oszczędzić kończenia zdania.

Ruszyli, pozwalając tłumowi, by ich rozdzielił, radzi, że chociaż na kilka minut mogą odsunąć chwilę pożegnania.

Rozdział dwunasty

Tom od ponad roku – z wyjątkiem weekendów – mieszkał sam. Nie było powodu, by decyzja Lauren o rozwodzie wywołała złudzenie, że dom stał się większy, a jednak je wywołała. Kiedy nazajutrz rano zszedł do salonu, pokój powiększył się do rozmiarów stacji St Pancras. Meble stały pod ścianami i przyglądały mu się. Jeden fałszywy ruch, bracie – zdawały się mówić – i my też się stąd wynosimy.

Cały ranek bezskutecznie próbował zabrać się do pracy. Potem zadzwonił do matki, umówił się z nią na kolację i podczas posiłku powiedział jej o wszystkim. Matka nie była zaskoczona, a Tom, wyjeżdżając zaraz po dziesiątej, miał uczucie, że zachował się... brutalnie. Przekreślił przyszłość.

Po powrocie dom wydał mu się jeszcze bardziej pusty. To śmieszne, przecież przyzwyczaił się do tego, że wraca do pustego domu. Tłukąc się po pokojach – jako że wyraźnie nie było sensu się kłaść – stwierdził, że są pomieszczenia gorsze i lepsze. Na przykład sypialnia okazała się, o dziwo, do wytrzymania. Po prostu przeniósł się ze spaniem na stronę Lauren. Kuchnię za to uznał za bardzo złą. Nawet siedząc na miejscu Lauren, był świadom odgłosów własnego jedzenia – gryzienia, żucia i przełykania – które wydały mu się nieznośne. Poczuł się jak w zoo podczas karmienia zwierząt. Po tym pierwszym ranku zaczął jadać śniadanie na stojąco albo chodząc po ogrodzie; kolację zabierał na górę na tacy.

Monitor komputera zaczął go irytować. Mrugający kursor był jednocześnie za bardzo i za mało absorbujący. Mógł go zignorować, w przeciwieństwie do siedzącego obok na krześle pacjenta, którego zignorować nie mógł. Tom zaczął wymyślać sprawy do załatwienia, które by go zmusiły do wyjścia z domu. Umówił się z Bernardem Greene'em, dawnym dyrektorem Danny'ego, i sporządził listę dzieci objętych Programem Resocjalizacji Młodzieży, z którymi powinien się spotkać.

Ryan Price był pierwszy na liście. Umówienie się z nim wymagało pokonania wielkich trudności, ponieważ jego matka nie była dostępna telefonicznie. Jednakże samo zrealizowanie tego kontaktu okazało się jeszcze trudniejsze. Nie mógł wziąć taksówki, ponieważ żaden taksówkarz nie chciał tam jechać. Nie mógł też zaparkować przed domem, bo do czasu zakończenia wizyty jego samochód zostałby ukradziony albo podpalony, a przystanek autobusu, który tam kursował, wypadał akurat w miejscu cieszącym się największą liczbą napadów bandyckich w całej Wielkiej Brytanii. W końcu zdecydował się dojechać do najbliższej przychodni lekarskiej, gdzie na jednym z bezpiecznych parkingów zostawił samochód, i resztę drogi przebył na piechotę.

Skręcił w Belford Street i zobaczył wóz policyjny, zaparkowany przed domem Ryana. Właśnie wysiadali z niego dwaj policjanci. Starszy z nich kuksnął kolegę.

– O, popatrz, idzie srebrna strzała.

Była to aluzja do sytuacji sprzed dwóch lat, kiedy Tom został ukarany za przekroczenie prędkości. Ten żart nigdy się policjantom nie znudził.

– O którego z nich ci chodzi? – zapytał starszy z policjantów.

Tom wzruszył ramionami i rozłożył ręce.

– Bo jeśli o Robbiego i Craiga, to ich nie dostaniesz.

Starszy z policjantów miał duży brzuch piwosza, ale nie był zuchwały ani agresywny. Młodszy, o wielkich nogach i wystającym jabłku Adama, zaglądał właśnie przez okno do salonu.

Jean Price, chuda kobieta, z ledwie widoczną ośmiomiesięczną ciążą, zerwała się z sofy, pełnej półnagich dzieciaków, i podbiegła do okna.

– Hej, co wy sobie myślicie, tacy nie tacy? Wsadzać mi tu pieprzony nos o wpół do ósmej rano?!

– Spokojnie, Jean. Otwieraj drzwi.

– Można przez was dostać zawału.

– Nie denerwuj się, kochanie. My tylko wypełniamy swoje obowiązki.

Jean wiedziała, że nie ma wyjścia. Otworzyła drzwi.

– Myślałby kto. Oni tylko wypełniają swoje obowiązki. Cholerne kutasy.

– Przyszliśmy po Robbiego i Craiga, Jean. Wczoraj mieli się stawić w sądzie, wiesz coś może o tym?

– A co ja mam z tym wspólnego? Czy to mój obowiązek dostarczać ich do cholernego sądu? – Ponad ramionami policjantów Jean spojrzała na Toma, którego uznała za swego rodzaju sojusznika. – Powiedz im.

Poszli za nią do prawie pustego salonu, z niezabezpieczonym elektrycznym grzejnikiem. Dzieciaki, ubrane w same podkoszulki i prawie nic poza tym, gapiły się na nich szeroko otwartymi oczami.

– Nie denerwuj się, Jean – powiedział brzuchaty policjant.

– Ja mam się nie denerwować? To wy mnie denerwujecie! – Podniosła palec. – Te chłopaki mają piętnaście i szesnaście lat. Są dorośli i sami mogą się stawić w sądzie, co nie? Dostali listy od swoich adwokatów, którzy im o tym przypominają. Umieją czytać. – Schyliła się, żeby podnieść dziecięcy bucik, ale nie mogła utrzymać równowagi. – Jak nie chcą iść do sądu, to ich sprawa.

Policjant z brzuchem podszedł do schodów i zawołał do góry:

– Craig! Robbie! Schodźcie na dół!

– Ręce z kutasów! – dodał młodszy z policjantów.

– I co, będziesz słuchał takiego bluzgania przy dzieciakach? – Kobieta zwróciła się teraz do Toma. – A co ja mam do jasnej cholery robić? Musiałam siedzieć w sądzie, jak byłam w dziewiątym miesiącu ciąży z nią. O, z tą. Mało nie urodziłam w sądzie.

Policjant z brzuchem ruszył na górę.

– Hej, czuj się jak u siebie! – krzyknęła za nim Jean, po czym z powrotem zwróciła się do Toma. – Mam dosyć tego nękania. Jestem samotną matką z ósemką dzieci, na cholerę mi to wszystko. – Mówiąc, kobieta usiłowała włożyć małej dziewczynce skarpetki, ale tak bardzo trzęsły jej się ręce, że musiała dać za wygraną. – Z nerwów cały czas jestem na prochach. O tej porze ludzie odprowadzają dzieciaki do szkoły, rozumiesz, o co mi chodzi? – Jean natarła na policjantów. – Jakbyście poczekali z pół godziny, tobym tu siedziała przy herbatce, jasne? Może nawet was bym poczęstowała.

Nagle wpadli do pokoju Craig i Robbie i natychmiast Jean zaczęła ich okładać po głowie i ramionach.

– Jak miałam im o was powiedzieć, cholerne sukinsyny. – Policjanci stali nad nią groźnie. – Pakować się tutaj o wpół do dziewiątej rano, kto to słyszał! – Po czym zwróciła się do Toma. – Ja nie kłamię, mówię świętą prawdę: krwawiłam każdego miesiąca tej ciąży. Na pewno zaraz poronię.

– To trzeba zabrać cię do lekarza – odparł Tom.

– I po co? Żeby mnie posłał do szpitala? Jak ja mam iść do szpitala, chciałabym wiedzieć? – Pokazała na gromadkę dzieci, które patrzyły na nią z powagą. – Wiesz tak samo dobrze jak ja, że jeśli mi raz wezmą dzieciaki do domu opieki, to już ich nigdy nie odzyskam.

Robbie skończył zakładanie trampek i wyprostował się.

– To co, możemy iść? – zapytał brzuchacz. – Podwieźć cię na komendę, Jean?

– O, fantastycznie. A ile ich mam wziąć ze sobą? Całą szóstkę czy tylko to małe?

Policjant wzruszył ramionami i wypchnął Craiga za drzwi. Jean i Tom patrzyli przez okno, jak chłopcy wsiadają do samochodu i jak młodszy policjant kładzie im dla bezpieczeństwa ręce na głowach.

W ostatniej chwili Jean podbiegła do drzwi.

– Hej, Robbie, tylko nie zapomnij zadzwonić po adwokata. A ty, Craig, żebyś za bardzo nie paplał.

Wóz policyjny odjechał. Jean, jeszcze ciągle wzburzona, powróciła do ubierania córeczki.

– Stary numer. Każą mi zostawić dzieci bez opieki, a potem dzwonią do służb społecznych i za chwilę cała gromadka ląduje w ośrodku opiekuńczym. Jednego nikt mi nie może zarzucić – dodała, wpychając na siłę bucik małej – że je zaniedbuję. Że wychodzę i zostawiam je bez opieki.

– Nikt nie uważa, że je zaniedbujesz, Jean.

– Hmm. – Jean robiła wrażenie lekko udobruchanej. W chwilę później uśmiechnęła się. – Widziałeś, jak wyglądam z boku? – Zademonstrowała niemal płaski brzuch. – Moja mama to mówi: „Do jasnej anielki, Jean, gdzie ty to nosisz?"

– Wiem, że pora jest nieodpowiednia... – zaczął Tom.

– Nie, kochanie, ty jesteś w porządku.

Tom nie wiedział, na jakiej podstawie Jean uznawała go za swego, ale zachowywała się w stosunku do niego zalotnie, jakby czuła, że Tom jest po jej stronie. W każdym razie nie traktowała ich wzajemnego stosunku w kategoriach profesjonalnych.

– Chciałbym zobaczyć się z Ryanem...

– O rany, jasne. Ale tak jestem skołowana, że nie wiem, na jakim świecie żyję.

– Ryan! – wrzasnęła w górę.

Chwilę później pojawił się zaspany, ziewający Ryan.

– Czy gliny już poszły?

– Aha.

– A co chcieli?

– Nie ciebie. Zabrali Robbiego i Craiga do sądu.

– Kutasy.

– Hej, ty, to twoi bracia.

Ryan masował sobie udo.

– To przez Craiga.

– Ryan – powiedział stanowczym tonem Tom – może byśmy tak poszli do kuchni na małą pogawędkę, co?

Chłopak wzruszył ramionami.

– Niech będzie.

Może winien był temu jego własny depresyjny nastrój, w każdym razie widok z planety Ryan wydawał mu się tego dnia bardziej ponury niż zwykle. Szkoła: strata czasu. I tak zresztą został zawieszony. Co o tym sądzi? „Mam to gdzieś". Czy nie byłoby jednak dobrze zdobyć jakieś kwalifikacje? „Mam to gdzieś". Jak większość dzieci Jean, Ryan nie był głupi i od czasu do czasu mówił okrągłymi zdaniami. Nauczyciele żyli w swoim małym wygodnym światku. Poza klasą nie wyrobiliby nawet przez pięć minut. A dlaczego? Bo

nie znają życia. Uważają, że najważniejsze to zdać egzaminy i za-
łapać się do jakiejś niewolniczej pracy. 1,99 funta za godzinę. Tom
próbował porozmawiać z nim o ochroniarzu, którego Ryan z kum-
plami zrzucili w metrze z ruchomych schodów.

– Te cholerne sukinsyny ochroniarze zawsze się nas czepiają.
Ale ochroniarz dalej chodzi o kulach, zgadza się? Co Ryan
powie na ten temat? „Mam to gdzieś". W takich chwilach człowiek
czuje – pomyślał Tom – że te bachory są naprawdę zepsute i że
niewiele więcej da się o nich powiedzieć.

Poszedł do samochodu. Każdy opuszczony dom w tej okolicy
błyskawicznie obrabowywano z kominków, urządzeń łazienkowych,
rur i dachówek i podpalano albo dla zabawy, albo dlatego, że
właściciele z rozpaczy, że muszą go sprzedać albo wynająć, płacili
dzieciom, żeby to zrobiły. Na rogu ulicy stał kontener pełen pło-
nących śmieci. Gromadka dzieciaków po jego drugiej stronie mi-
gotała w rozgrzanym powietrzu jak odbicie w wodzie.

Wieczorem zadzwonił do Marty i powiedział jedno słowo.
– Detoks?
– Dobrze.
Spotkali się w barze na Northumberland Street i zamówili butel-
kę wina.
– No więc, co się stało? – spytała Marta
– Nic wielkiego. Rozmawiałem z Ryanem Price'em i jakoś... na-
prawdę nie wiem... ale jakoś mnie wkurzył.
– „Mam to gdzieś" – powiedziała Marta, naśladując monotonny
głos Ryana.
– Właśnie. Wiesz, że zrzucił ochroniarza ze schodów rucho-
mych? To znaczy cała ich banda.
– Zgadza się. Jako małe dziecko spędził sześć tygodni na wy-
ciągu. Bo z kolei j e g o zrzucił ze schodów Robbie.
– Hmm. Miło wiedzieć, że tradycje rodzinne są kontynuowa-
ne. – Łyknął wina. – Wiesz co, obejrzałem tamten dom i pomyślałem, że gdyby... – Tom szybko rozejrzał się dokoła i ściszył głos. –
Gdyby Ian zrobił to, co zrobił, tam, to nie byłoby takiego szumu.

– Nie. Bo to są o n i. Ale kiedy dziecko popełni morderstwo na wsi angielskiej – albo w małym amerykańskim miasteczku, co wychodzi na jedno – to... obala... nie wiem... mit... bastion moralny. A prasa dosłownie wpada w histerię. Czy ty wiesz, że oni w dalszym ciągu ścigają Iana, że ciągle jeszcze za nim niuchają?

– Myślałem, że nikt nie wie, że on wyszedł.

– Bo oficjalnie nikt nie wie. – Marta potrząsnęła głową. – Oni wszystko wiedzą, Tom.

– Ale nie znają nazwiska?

– No nie, na miłość boską, mam nadzieję, że nie znają. – Położyła na ustach palce o długich paznokciach. – Ian twierdzi, że chcesz rozmawiać jeszcze z innymi ludźmi.

– Tak. Ale jak dotychczas umówiłem się tylko z jedną osobą. Z jego dawnym dyrektorem, Bernardem Greene'em.

– Mam nadzieję, że będziesz ostrożny?

– Chcesz powiedzieć, że nawet przy nim mam nie wymieniać nowego nazwiska Danny'ego, tak?

– Tak.

Tom uśmiechnął się.

– Jesteś pewna, że to nie jest po prostu paranoja Ministerstwa Spraw Wewnętrznych?

– Widzę, że brukowce nigdy nie deptały ci po piętach.

Skończyli wino i na wyraźne życzenie Toma zamówili następną butelkę. Chciał porozmawiać z Martą o Lauren, a to wymagało kilku drinków.

– No więc co się nie udało? – spytała, bawiąc się nóżką kieliszka.

– Seks – odparł. – Pod koniec nie miała ze mnie żadnej pociechy.

– Alkoholowy brak wzwodu?

Zdumiewające, co potrafiła powiedzieć Marta, a mimo to być autentycznie współczująca.

– Nie. Brak wzwodu wskutek syndromu kalkulacyjno-owulacyjnego.

– Staraliście się o dziecko, tak?

– Tak. Owszem, wiem, że to głupio zabrzmi, ale kiedy zaczęliśmy te starania, wszystko było w porządku. Zupełnie tego nie mogę pojąć – że w tak krótkim czasie wszystko poszło w kanał. I kiedy patrzę wstecz... to naprawdę muszę bardzo uważać, żeby mi teraźniejszość nie zepsuła przeszłości. Bo wspominając, jak było dobrze, zaraz myślę: nie, to niemożliwe, nie mogło być tak dobrze. Musiało być źle, tylko jakoś mi to umknęło.

Powiedział, że zajście w ciążę stało się obsesją, zdając sobie jednocześnie sprawę, że oskarża w ten sposób Lauren, i był na siebie za to zły. Ale wszystko, cokolwiek mówił, było zgodne z prawdą, a przynajmniej tak bliskie prawdy, jak tylko to możliwe. Czuł się wykorzystany i wycofał się, nie świadomie, nie z rozmysłem, ale...

– Chyba rozumiesz, dlaczego ona tak rozpaczliwie tego pragnęła, prawda? Ile Lauren ma lat?

– Trzydzieści sześć.

– No cóż, ja mam trzydzieści cztery i też uważam, że to już późno. Z mężczyznami jest inaczej, prawda? – Martę opuściła zwykła pogoda ducha i jej ton nabrał goryczy. – Nigdy nie staraj się dowiedzieć, dla kogo tyka zegar. Bo może równie dobrze tykać dla ciebie.

– Nie projektowałem tego całego wyposażenia. Gdybym projektował, pomyślałbym o wiecznie napompowanej rurze.

– To by mogło być dobre.

– Tak, można by ją sobie było przypinać do uda, kiedy by nie była potrzebna.

– To t y byś mógł. – Zawahała się. – A czy kiedykolwiek próbowałeś z kimś innym?

– To znaczy...?

– Spróbuj. Dobrze się przekonać. Mówisz o syndromie kalkulacyjno-owulacyjnym, ale skąd możesz wiedzieć, jak jest naprawdę, skoro nie próbowałeś z nikim innym?

– Dzięki, Marta, bardzo mi pomogłaś. – Tom zastanawiał się przez chwilę. – Nie, nie próbowałem – powiedział w końcu. – Byłem żonaty.

– Ale teraz jesteś wolny.

W ustach kogokolwiek innego te słowa zabrzmiałyby jak zaproszenie. Ale nie w ustach Marty. Nie dlatego, że była nieatrakcyjna –

przeciwnie, kiedy zaczynali razem pracować, Tom uznał ją za niepokojąco atrakcyjną, jednak ich znajomość zbyt głęboko utknęła w koleinie przyjaźni, żeby mogli się z tego wycofać i nadać jej inny charakter. Seks z Martą przypominałby wciąganie starego, ciepłego, znoszonego swetra w ciemną, zimną noc. Zasługiwała na coś lepszego. I on też.

Po wyjściu z baru pocałowali się na dobranoc i Tom ruszył na piechotę do domu, mając nadzieję, że połączenie świeżego powietrza, ruchu i nadmiernej ilości alkoholu umożliwi mu szybkie zaśnięcie.

Bo noce były złe. Regularnie o drugiej, trzeciej czy czwartej nad ranem stał przy oknie i patrzył na ulicę. Kiedyś wydało mu się, że zauważył bratnią duszę, cierpiącą na bezsenność. Światło w sypialni, jakieś dziewięć czy dziesięć drzwi poniżej, zapalało się i gasło, a jemu obecność kogoś, kto dzielił z nim te same problemy, wydała się krzepiąca. W ciągu kolejnych nocy Tom ustalił rytm zapalania się i gaśnięcia świateł i doszedł do wniosku, że była to lampa sterowana przełącznikiem czasowym. Odczuł to jako bolesne ukłucie, przykrą stratę nieznanego towarzysza i zaczął się zastanawiać, jak coś tak trywialnego mogło się przebić przez ogólne przygnębienie.

Tej nocy jednak zasnął mocno i obudził się pokrzepiony. Leżąc, patrzył, jak światło słoneczne pełznie po dywanie w stronę łóżka. A rano, zamiast, tak jak codziennie, powlec się do pracowni na poddasze, pojechał do Long Garth.

Gdzieś w głowie słyszał głos Marty: „Teraz jesteś wolny".

Myślał o tym, schodząc na śniadanie. Ale fakt bycia wolnym, choć nie powstrzymał bólu, zdumienia czy poczucia klęski, otworzył przed nim całkiem nową, ważną, godną rozważenia perspektywę.

Rozdział trzynasty

Long Garth, poprawczak, w którym Danny spędził siedem lat życia – resztę dzieciństwa i cały okres dojrzewania – był położony w zielonej dolince w pagórkowatej okolicy na południe od Brimham Rocks. Tom zjawił się trochę za wcześnie, więc podjechał na wrzosowiska, żeby obejrzeć wielkie granitowe głazy, które pozostawił ostatni wycofujący się lodowiec i które leżały albo pojedynczo, albo w całych konstelacjach. Jeden z kamiennych bloków spoczywał na drugim w tak kruchej równowadze, że chwiał się przy najlżejszym podmuchu wiatru.

Tom przez chwilę obserwował kołyszący się głaz, a potem spojrzał przed siebie, nasłuchując dalekiego beczenia owiec, które to napływało, to odpływało w przypadkowym rytmie porywów wiatru. Widział stąd Long Garth, niski budynek, otoczony boiskami, z błękitnym owalem basenów z boku. Kiedyś Long Garth stanowiło część znacznie większego zakładu penitencjarnego dla młodzieży, który jednak został zamknięty. Mody się zmieniają: daleko idąca izolacja tego miejsca została uznana za niekorzystny element w procesie rehabilitacji młodocianych przestępców, jednakże część poprawczaka została. Dwudziestu czterech chłopców za prawie pięciometrowej wysokości ogrodzeniem.

Tom do tej pory nie miał okazji poznać osobiście Bernarda Greene'a. W pierwszym roku po skazaniu Danny'ego trzy razy pisał do Ministerstwa Spraw Wewnętrznych, podkreślając, jak ważne jest, by chłopak, oprócz zamknięcia w odosobnieniu, dostał profesjonalną pomoc, ale za każdym razem ta sama zdawkowa odpowiedź brzmiała: Danny dobrze się zaadaptował w ośrodku i robi postępy w procesie rehabilitacji. Jednakże z innych źródeł Tom słyszał, że w Long Garth nie ma pieniędzy na psychoterapię, i Danny to potwierdził. Zamiast tego chłopcy otrzymywali ekscentryczną staromodną edukację w stylu szkoły prywatnej: duże boiska, dobrze wyposażone klasy o niewielkiej liczbie uczniów, przywiązywanie wielkiej wagi do wychowania moralnego i kładzenie nacisku na rolę sportu w kształtowaniu charakteru. Nic dziwnego, że ojciec Danny'ego był zadowolony.

Trochę dom wariatów – jakby powiedział Tom. Ale nic tutaj nie mówiło o rehabilitacji młodzieży z poważnymi zaburzeniami, jeśli nie liczyć tego, że Danny dosłownie rozkwitł, przynajmniej na jakiś czas.

Bernard Greene mieszkał poza terenem ośrodka, przy wąskiej uliczce, równoległej do ogrodzenia. Front domu porastała glicynia, której liście szeleściły w porywach wiatru, sprawiając wrażenie, że dom żyje, że stanowi jakby osłonięte miejsce w ogrodzie, choć nie wydzielone. Liście zaczynały już żółknąć. Tom próbował sobie wyobrazić, jak ten krajobraz wygląda w zimie: nagie wrzosowiska, lodowate wichry, a na horyzoncie tamte niebezpiecznie spiętrzone głazy.

Drzwi otworzyła duża kobieta z kuchenną rękawicą w biało-czerwone paski na ręce.

– Doktor Seymour? – zapytała. – Proszę bardzo, mąż na pana czeka. – Stała, uśmiechając się, z twarzą błyszczącą od potu albo pary, podobna do wesołej niewysportowanej nauczycielki gimnastyki w żeńskiej szkole.

Tom wszedł do holu. Na stole stał wazon z różami, którego srebrne części odbijały się w wypolerowanym drzewie. Nawet opadłe płatki, małe różowe i żółte gondole, robiły wrażenie elementu dekoracji. Pachniało lawendą i cytryną. Ale sama pani Greene nie zadała sobie trudu, żeby jakoś wyglądać. Bezkształtna kiecka w niebieskie różyczki okrywała ciało, o którym najwyraźniej starała się zapomnieć. Rzadkie siwobrązowe włosy były czyste i porządnie uczesane, ale nie ułożone. Musiała już na wszystko machnąć ręką.

Otworzyła drzwi po prawej stronie.

– Doktor Seymour, kochanie.

Bernard Greene czekał przy drzwiach, gotów do podania gościowi chłodnej, suchej ręki. Tom z miejsca poczuł do niego niechęć. Dlaczego nie wstał i sam nie otworzył drzwi? Dlaczego traktuje żonę jak służącą i zmusza ją, żeby szła taki kawał aż z kuchni, skoro sam ma bliżej? Z wyglądu wydawał się elegancki, pełen rezerwy i jakby trochę chłopięcy. Siwe kędzierzawe włosy, intensywnie niebieskie oczy, tak intensywnie, że Tom – chociaż nie zauważył brzeżków soczewek – podejrzewał nawet barwione szkła kontaktowe, opalenizna, bezpośredni sposób bycia i prosta, niemal wojskowa postawa. Kontrast z żoną był uderzający. Greene wyglądał na jakieś dwadzieścia lat młodszego.

No cóż, może i był młodszy. Tom usiadł przy kominku, naprzeciwko gospodarza, na wskazanym krytym kretonem fotelu. Pusty ruszt zasłaniała skomplikowana dekoracja z suchych kwiatów. Po lewej stronie stał fortepian, a na nim zdjęcia dwóch dziewcząt: w szkolnych mundurkach, na koniach, podczas zabawy w ogrodzie, rozchichotanych na brzegu basenu.

– To moje córki – wyjaśnił Greene, jakby żona w powołaniu ich do życia nie miała najmniejszego udziału. – W tej chwili są na szkolnej wycieczce, dlatego w domu jest tak cicho. Czy pan ma dzieci?

– Nie – odparł Tom. Dziwne pytanie – pomyślał – jak na początek oficjalnego spotkania, jakby zaraz na wstępie Greene usiłował podważyć wszelkie zasady profesjonalizmu w obcowaniu z nastolatkami, do jakich Tom mógłby się odwołać. – Dziękuję, że znalazł pan dla mnie czas, mimo że tak późno pana zawiadomiłem.

– To drobiazg. Z przyjemnością, jeśli tylko mogę w czymś pomóc, chociaż obawiam się, że niewiele będę w stanie powiedzieć. Czy pan jest jego terapeutą?

– Niezupełnie. On chce po prostu z kimś porozmawiać o... o przeszłości, o tym, co się stało i dlaczego. Nie wiem, czy pan pamięta... występowałem na procesie jako biegły?

– To znaczy, że pan prawie wszystko już wie?

– Trochę wiem.

– Jestem zdziwiona... – zaczęła pani Greene, po czym rozmyśliła się i zamiast tego zapytała: – Może herbaty?

Greene spojrzał na Toma.

– Bardzo chętnie.

Kiedy pani Greene wyszła, Tom zapytał:

– Czy Danny jest z państwem w kontakcie?

– Nie. Pisał raz czy drugi i to wszystko.

– A czy pan spodziewał się, że będzie? To znaczy... czy oni tu czasem przyjeżdżają?

– Niektórzy owszem. Myślałem, że Danny mógłby.

– A jak pan myśli, dlaczego się nie pokazał?

– Nie wiem. Jeśli pan go widuje, to może go pan spytać. – I po krótkiej przerwie dodał: – Sądzę, że poczuł się... zawiedziony. W pewnym sensie mu obiecałem, że będzie mógł odbyć karę tutaj, przynajmniej dopóki nie skończy dziewiętnastu lat. Był taki precedens. Tak się stało z innym chłopakiem, który... który stąd wyszedł na wolność, ale Danny decyzją Ministerstwa Spraw Wewnętrznych został przeniesiony do zakładu karnego o zaostrzonym rygorze. Dlatego wyjechał. – Te słowa zostały powiedziane z lekką goryczą. – I nie mam cienia wątpliwości, że w ciągu pół roku udało im się zepsuć wszystko to, co zrobiliśmy dobrego przez te siedem lat.

– Czy mógłbym zacząć od samego początku? Jakie było pana pierwsze wrażenie?

– Dosłownie nas zatkało – powiedziała pani Greene, wchodząc z tacą. – Pamiętasz? – zwróciła się do męża.

– Pamiętam – odparł.

– Byliśmy akurat w poczekalni, kiedy strażnik go wprowadził. Wydawał się taki mały. Kiedy go zobaczyliśmy na tle innych chłopców...

– Był najmłodszy, trzy lata różnicy między nim a najmłodszym chłopcem... – dodał Greene.

– Tego wieczoru nie pozostawało nam nic innego, jak tylko położyć go spać – powiedziała pani Greene. – Był wykończony. I przerażony, że zmoczy łóżko. Nie chciał się kłaść, a potem próbował nie zasypiać, ale oczywiście i tak się zmoczył. Był za to zły na siebie. Nienawidził wszystkiego, nad czym nie panował.

– Moja żona uczyła go francuskiego. – Tymi słowy Greene odprawił żonę, która tak też je zrozumiała. Kiedy drzwi się za nią zamknęły, zapytał: – Czy on wie, że pan tu jest?

– Tak. Nie przyjechałbym bez jego wiedzy. Chociaż powiedziałem, że nie powtórzę mu nic z tego, co pan mi powie.

– Jak on się miewa?

– Całkiem nieźle. Myślę, że to dobry znak, świadczący o tym, że chce... chce się jakoś pogodzić z tym, co się stało.

Greene uśmiechnął się pobłażliwie.

– Pogodzić się? A czy to jest w ogóle możliwe? I co by to właściwie miało znaczyć – pogodzenie się z faktem, że się kogoś zabiło?

– No więc dobrze. Chce pewne rzeczy wyjaśnić.

– Wskazać kogoś, kto ponosi winę? Lepiej to zostawić w spokoju. Czy pan wie, co ja robię z każdym chłopcem, który przyjeżdża do tej szkoły? Mówię mu: to jest piewszy dzień reszty twojego życia. Mnie nie obchodzi, co zrobiłeś. A nawet nie chcę tego wiedzieć. Mnie interesuje tylko to, jak się będziesz teraz zachowywał. Z chwilą przekroczenia tych drzwi zaczynasz żyć do przodu.

Greene mówił z wielkim przekonaniem. Po raz pierwszy Tom zauważył, że ten człowiek mógł być charyzmatyczny, szczególnie wobec kogoś młodego, kto ma kłopoty z prawem i chce zapomnieć.

– To znaczy, że nikt nigdy nie rozmawiał z Dannym o morderstwie?

– Nie.

– A on sam nie próbował o tym mówić?

– Nie. Musi pan pamiętać, że on w dalszym ciągu utrzymywał, że tego nie zrobił. Dla Danny'ego ten temat po prostu nie istniał.

– Wspominał jakiegoś nauczyciela angielskiego.

– Co mówił?

Było to zdumiewająco ostro postawione pytanie.

– Nic specjalnego. Tyle tylko, że był bardzo dobry. Angus... Angus?

– MacDonald. Tak, rzeczywiście był dobry. I miał dobre intencje.

Tom uśmiechnął się.

– Tak się zwykle mówi o ludziach, którzy powodują jakieś kłopoty.

– Nie, nie to miałem na myśli. On był... był całkowicie oddany sprawie. Miał wykształcenie, dobre referencje, ale brakowało mu doświadczenia i wyczucia niebezpieczeństwa... to chciałem powiedzieć, chociaż to nie jest właściwe słowo. – Greene zastanawiał się przez chwilę. – Ostatecznie zaczął się mieszać w sprawy, do których nie miał stosownych kwalifikacji.

– Skłonił Danny'ego do pisania o morderstwie?

– Tak jak zrozumiałem, prosił Danny'ego, żeby pisał o swoim dzieciństwie. Nie sądzę, żeby nawet Angus...

– A pan tego nie pochwalał?

– Ja o tym nie wiedziałem. Gdybym wiedział, z pewnością przestrzegłbym Angusa, żeby się trzymał od tego z daleka.

– A jak się pan o tym dowiedział?

– Od Danny'ego. Przyszedł do mnie. Chociaż wiedziałem już wcześniej, że coś jest nie w porządku, bo jego zachowanie wyraźnie się pogorszyło.

– W jaki sposób?

– Zaatakował jednego z chłopców.

– Bardzo?

Greene wzruszył ramionami.

– To zależy od pana skali ocen. Chciał go dźgnąć śrubokrętem, ale chłopakowi nic się nie stało. Jak pan się zapewne domyśla, tego rodzaju przypadki nie należą tu do rzadkości. Ale oczywiście po tym to wszystko wyszło na jaw. Przez „to wszystko" rozumiem rodzaj dochodzenia, na jakie sobie Angus w stosunku do Danny'ego pozwolił.

Greene, ożywiony, oparł się wygodnie i bawiąc się filiżanką, czekał w milczeniu na następne pytanie.

– Czy Danny dobrze pływał?

Zdziwienie.

– Doskonale. Pływał w reprezentacji szkolnej.

– Przeciwko?

– Innym zakładom dla młodocianych przestępców.

– Czy bywał wypuszczany poza obręb zakładu?

– Pod ścisłym nadzorem, tak. Tak samo jak pozostali dwaj chłopcy, skazani na dożywocie. Dla nikogo tu nie robimy wyjątków.

Tom zastanawiał się, dlaczego Greene miałby uważać, że on podejrzewa z ich strony jakieś wyjątki.

– Ale pan chyba musiał zrobić dla niego... nie powiem wyjątek... ale musiał pan w jakiś szczególny sposób zadbać o jego naukę? Chcę powiedzieć, że Danny zaliczył trzy przedmioty na A. Jaki procent chłopców tutaj ma takie wyniki?

Greene uśmiechnął się.

– Jedna tysięczna. Tak, oczywiście, że zadbaliśmy o jego naukę w sposób szczególny, tak jakbyśmy w szczególny sposób zadbali o chłopca całkowicie głuchego czy niewidomego, czy... Sprawiedliwość nie oznacza, że trzeba wszystkich traktować idealnie jednakowo. Oznacza, że jednakowo trzeba dbać o ich potrzeby.

Od chwili kiedy Tom wspomniał o Angusie MacDonaldzie, Greene przyjął postawę obronną.

– Czy Danny sprawiał satysfakcję jako uczeń?

Wyraz twarzy Greene'a... złagodniał. Nie, nie złagodniał, rozjaśnił się.

– To był jeden z najbystrzejszych uczniów, jakich kiedykolwiek miałem. Pracowałem kiedyś w Manchester Grammar School i oczywiście mieliśmy tam bardzo zdolnych chłopców. Kiedy tu przyjechałem, pomyślałem, że nie będzie mi tego brak. Że patrzenie, jak ci chłopcy robią postępy... że to jest inny rodzaj satysfakcji. Ale dla nauczyciela nie ma nic wspanialszego, jak karmienie umysłu, który wchłonie wszystko, co mu się da, i prosi o jeszcze. Tak, oczywiście, że Danny jako uczeń sprawiał wielką satysfakcję.

– Czy wszyscy nauczyciele go lubili?

Entuzjazm Greene'a nieco przygasł.

– To oczywiste, że nie. Stanowimy małą społeczność. Tego typu miejsca nie są wolne od napięć.

– A czy mógłby pan powiedzieć, że w przypadku Danny'ego szkoła odniosła sukces?

– Tak, mógłbym. Nie wiem, do jakiego stopnia wpływ więzienia okazał się destrukcyjny, ale kiedy Danny stąd wyjeżdżał, był... tak, mogę spokojnie tak powiedzieć... że pod wieloma względami był wspaniałym młodym mężczyzną. – Spojrzał na zegarek. – Obawiam się, że będę musiał... – Zacisnął dłonie na poręczach fotela.

– Och, nie skończył pan herbaty. Nie, nie, proszę się nie spieszyć. Żona pana wyprowadzi.

Podali sobie ręce, Tom raz jeszcze podziękował za rozmowę, a następnie podszedł do okna i przez chwilę patrzył na Greene'a, na jego dziwny, zamaszysty, potykający się krok, jakby ruchy jego nóg zaczynały się w kolanach, a nie w biodrach. W pewnym momencie zdał sobie sprawę, że do pokoju weszła pani Greene i patrzy, jak on obserwuje jej męża. Odwrócił się i wziął do ręki tacę.

– Mogę to zabrać?

– Dzięki. Napije się pan jeszcze herbaty? – Pani Greene znów była cała w skowronkach, ale jej oczy pozostały mroczne i poważne.

– Tak, myślę, że jeszcze jedna filiżanka dobrze by mi zrobiła.

Poszedł za panią Greene do kuchni, w której panował miły klimat: szafki zamiast gotowych segmentów, minimum nowoczesnych gadżetów, dokoła stare, ale zadbane przedmioty, pocięty pieniek do rąbania, rzędy ostrych noży. Na głównym stole stał kwadratowy zielono-biały wazon z bukietem marcinków. Tom usiadł, podczas gdy pani Greene krzątała się, napełniając wodą czajnik i stawiając czyste kubki.

– Mnie tam filiżanka nie wystarczy. Jeśli już pić herbatę, to dużo.

Na kuchence perkotał garnek.

– Żałuję, że nie mogę pana powitać jakimś bardziej apetycznym zapachem, ale obawiam się, że jeszcze na to za wcześnie.

Pani Greene usiadła, objęła kubek przypominającymi serdelki palcami i mrugnęła do Toma.

– Chodzi panu – zaczęła, kiedy nadal się nie odzywał – o Danny'ego, tak?

– Pani go uczyła francuskiego. Dobrym był uczniem?

Ściągnęła usta.

– Tak, był bystry, miał dobrą pamięć i zdolności naśladowcze. Do początkowego nauczania języka nic więcej nie potrzeba.

– Ile miał lat, kiedy go pani zaczęła uczyć?

– Jedenaście. Tyle samo, ile by miał, gdyby jego życie – prawie niedostrzegalnie zmieniła wyraz twarzy – potoczyło się w sposób bardziej normalny.

– Czy pani go lubiła?

W odpowiedzi Tom usłyszał rubaszny śmiech.

– O, to jest tutaj u nas bardzo niebezpieczne pytanie. Nie zastanawiałam się nad tym, czy go lubię. Nie o to chodziło.

– Nie, ale teraz mogłaby się pani zastanowić.

– I odpowiedzieć po prostu: tak albo nie?

Tom uśmiechnął się.

– Jakakolwiek byłaby pani odpowiedź, chciałbym ją usłyszeć.

– Danny to była przepaść bez dna. Chciał, żeby go inni ludzie wypełniali sobą, tylko że ci inni ludzie na koniec zostawali jak gdyby ze wszystkiego opróżnieni. Niektórzy robili wrażenie zahipnotyzowanych tym procesem i domagali się jeszcze. Czy może raczej sami chcieli jeszcze dawać.

– Powiedziała pani „zahipnotyzowani" tym procesem?

– Czy może raczej kontaktem z samym Dannym. Mamy tu pełno ludzi gotowych do pomocy. Po to jesteśmy. Na ogół pomóc się nie da, więc kiedy spotykamy kogoś takiego jak Danny, kto daje nam odczuć, że jednak ta pomoc nie idzie na marne, to wtedy... jest to balsam na naszą duszę. A on był w tym niezrównany – nikt tak jak Danny nie potrafił dać odczuć, że nasza pomoc jest coś warta.

– Bo on najprawdopodobniej rozpaczliwie tej pomocy potrzebował.

– Tak, z całą pewnością.

Tom po omacku posuwał się naprzód.

– Czy pani sądzi, że na przykład pan Greene został ze wszystkiego „opróżniony"?

– Nie. – Pani Greene powiedziała to bardzo zdecydowanie. – Mój mąż, jak pan być może zauważył, jest szalenie chłopcom oddany, ale na płaszczyźnie osobistej potrafi... zachować dystans.

Tom zastanawiał się, jak by ta opinia brzmiała, gdyby nie była skażona podziwem dla osoby i pracy Greene'a (zakładając, że była skażona), ale nasuwały mu się tylko drastyczne określenia.

– Bernard ma wielki dar. Potrafi spojrzeć na człowieka i dostrzec w nim to, co najlepsze. I mocą swojej wiary powołać tę wersję człowieka do życia. Ale jego wadą w tych sprawach jest pewna naiwność w ocenie dzisiejszych ludzi. Jest za mało sprytny. Myślę, że w gruncie rzeczy pogardza sprytem, uważając go za cynizm.

Tom był zaskoczony i potrwało chwilę, nim zrozumiał dlaczego. Pewnie dlatego, że po kobiecie, traktowanej jak służąca, do której obowiązków należało otwieranie drzwi, bieganie na posyłki, przygotowywanie i podawanie herbaty i którą można było w każdej chwili bezceremonialnie odprawić, mimo że przecież uczyła Danny'ego i z pewnością miała coś w tej sprawie do powiedzenia – że po takiej kobiecie oczekiwał więcej goryczy. Ale teraz, rozglądając się po kuchni, doszedł do wniosku, że to tu, a nie w gabinecie Greene'a, był ośrodek dyspozycyjny. Że z tego punktu widzenia, z tej zmienionej perspektywy gabinet Greene'a wydawał się dziecięcym pokojem.

– Czy okazane Danny'emu zaufanie zaprocentowało?

– To raczej pan mógłby odpowiedzieć na to pytanie.

Tom zawahał się.

– No cóż... wypuścili go – powiedział.

Zobaczył uśmiech na twarzy pani Greene. Nie chciał popełnić tego samego błędu, jaki popełnił wobec jej męża, praktycznie zamykając dyskusję przez skupienie się na temacie, który wywołał reakcję obronną, zadał więc najogólniejsze pytanie, jakie mu przyszło do głowy.

– Jak wyglądały kontakty z Dannym?

Zapadło milczenie, jakie zapada wtedy, kiedy ma się za dużo do powiedzenia.

– Mój mąż z pewnością mówił panu, że nie traktowaliśmy tu Danny'ego w sposób wyjątkowy.

– Tak, mówił mi o tym.

– Pod jego kątem cała szkoła została zreorganizowana. Wszyscy, na podstawie samej tylko rozmowy, uznali, że Danny jest bystry, ale dopiero po serii testów przekonali się, jak bardzo jest bystry, a to oznaczało indywidualny tok nauki. W przeważającej mierze były to zajęcia w systemie jeden uczeń – jeden nauczyciel. My tutaj najczęściej mierzymy się z problemem analfabetyzmu.

– Ale to jest chyba nieuniknione, prawda?

Pani Greene skinęła głową.

– Tak. No i oczywiście Danny był dzieckiem. Ludzie tak go traktowali. Jego wychowawczyni dosłownie się w nim zakochała.

Nie sądzę, żebym tu przesadziła. Kobieta bezdzietna, a tu nagle pojawia się taki piękny mały chłopczyk. Bo Danny był piękny.

– Ale na tym się nie skończyło, prawda? Pani... pani pewnie chciała powiedzieć, że Danny potrafił się dobrze ustawić, że dobrze się tu u was poczuł, prawda?

– Jak ryba w wodzie. Na ogół sprawował się tak dobrze, że nikt go na niczym konkretnym nie złapał. W każdej relacji, a szczególnie z osobą dorosłą, musiał się kontrolować. I tu nie chodzi o kontrolę jako sposób na dostanie czegoś – pewnie dlatego nie został złapany – tylko o kontrolę dla samej kontroli. Ale są takie drobiazgi... obowiązuje u nas na przykład zasada, że chłopcy nie zwracają się do nauczycieli po imieniu. Bernard jest zwolennikiem zachowywania pewnego dystansu, uważa za wielki błąd okazywanie, że ktoś jest czyimś najlepszym kumplem. Danny do wszystkich zwracał się po imieniu. Oczywiście nie miało to większego znaczenia. Tyle że... I kolejna zasada: nie należy być z uczniem sam na sam. Jeśli chłopak miał indywidualny tok nauki – a każdy z nauczycieli odbywał z Dannym indywidualne zajęcia – to drzwi do pokoju musiały być otwarte. Albo lekcja odbywała się w rogu biblioteki. Ale w przypadku Danny'ego drzwi były zamknięte. Nie żeby działo się coś złego, bo nic się nie działo. Ale Danny mówił nauczycielom różne rzeczy, zwierzał im się i nie chciał, żeby to ktokolwiek słyszał, a oni czuli się tym szczególnie wyróżnieni. Myśleli: to fantastyczna sprawa, widać postęp. To właśnie mnie udało się przełamać mur milczenia. Dostrzega pan prawdziwie szatańską stronę całej tej historii? To nie Danny łamał obowiązujące zasady, tylko oni. Był dosłownie mistrzem w sprawianiu, że ludzie przekraczali tę niewidoczną granicę. I szli niby jagnięta na rzeź.

– A jedno z nich okazało się bykiem rasy aberdeen angus?

Pani Greene przez chwilę robiła wrażenie zdziwionej, ale bardzo szybko się opanowała i powiedziała:

– No właśnie.

– Czy on próbował tego i z kobietami?

– Z każdym.

– Nie wyłączając pana Greene'a?

– Nie wyłączając. W ten sposób właśnie dokonałam tego odkrycia. Pan pewnie... nie, pan nie mógł tego zauważyć, ale mój mąż... mój mąż ma taki charakterystyczny chód. Danny zaczął go naśladować. Nagle po szkole zaczął się kręcić taki mały dyrektorek i... to było... to było naprawdę bardzo zabawne. Większość osób uważała, że nie ma w tym nic zdrożnego. Taki niewinny przejaw kultu bohatera. – Pani Greene zrobiła pauzę. – Mnie się to nie podobało.

– A jaka była w tym wszystkim rola Angusa?

– Ach, Angus to znacznie późniejsza sprawa. Danny miał wtedy piętnaście lat.

Krótka chwila milczenia.

– Ale chodziło o to samo?

– Nawet więcej.

Długa chwila milczenia.

– Czy Angusa też naśladował? – zapytał Tom.

– Akcent. Angus miał bardzo charakterystyczny szkocki akcent.

– A był dobrym nauczycielem?

– Bardzo dobrym. Aczkolwiek czy nadawał się do tego rodzaju pracy...? – Pani Greene nagle zdecydowała się mówić. – No więc Danny zaczął go naśladować, a w każdym razie Angus tak uważał i przykręcił mu śrubę. Nie miał doświadczenia z trudną młodzieżą i traktował ich jak normalnych uczniów. Jak szczeniak podskakuje, to go w łeb. Ale tutaj się to nie sprawdzało. A szczególnie z Dannym. Wszystkich pozostałych chłopców obowiązywał system punktowy. Im więcej uzbierali punktów za dobre sprawowanie, tym szybciej wychodzili. Ale nie Danny.

– Bo Danny nie wychodził.

– No właśnie. Dożywocie. Nie wiedział, jak długie może być dożywocie, ale wiedział, że cholernie długie i że nawet jeśli będzie grzeczny na lekcjach angielskiego, to niczego to nie zmieni. Więc kiedy Angus przykręcił mu śrubę, Danny dostał małpiego rozumu. Wpadał na ściany, próbował wybijać okna, ciskał różnymi przedmiotami i w ogóle zachowywał się jak szaleniec. Nagle przestał być normalnym uczniem.

– A co takiego zrobił Angus?

– Spotkał się z nim po lekcjach. Sam na sam.

– Przy zamkniętych drzwiach.

– Nie powinnam się dziwić.

– I to właśnie wtedy kazał Danny'emu pisać o jego dzieciństwie?

– Tak. Nie sądzę, żeby chciał wywołać w ten sposób temat morderstwa, ale też nie wiem, co sobie wyobrażał – do czego innego by to mogło prowadzić.

– Pani uważa, że to nie był dobry pomysł?

– Z punktu widzenia Angusa nie. Pan wie, że Danny oskarżył go o molestowanie seksualne? I że Angus musiał odejść?

– Nie, nie wiedziałem.

Tom był za bardzo zdziwiony, żeby móc cokolwiek mówić, a im więcej o tym myślał, tym bardziej był zaskoczony. Milczenie Danny'ego w tej sprawie wydawało się zrozumiałe. Ale Greene'a? Marty? To się przecież nie mogło nie dostać do akt. Chyba że...

– Czy było w tej sprawie jakieś dochodzenie?

– Nie. Angus miał roczny kontrakt. A to wszystko wybuchło pod koniec letniego semestru. Po prostu wyjechał trochę wcześniej.

– Z referencjami?

– Tego nie mogę panu powiedzieć.

– A co z tym dźgnięciem?

– Z usiłowaniem dźgnięcia. – Pani Greene wzruszyła ramionami. – Tego typu incydenty są tu na porządku dziennym.

– A jaka była przyczyna tego ataku?

– Jeden z chłopaków powiedział mu: „Wszyscy wiedzą, że jesteś dupą MacDonalda".

– Chodziło o Angusa?

– Tak.

– Czy pani wierzy w to, że była z jego strony próba gwałtu?

Pani Greene ściągnęła usta.

– Mógł istnieć między nimi jakiś związek. Nie to, żebym próbowała go choćby w najmniejszym stopniu usprawiedliwiać, ale... Angus nie był jedyną osobą, która musiała stąd wyjechać przez Danny'ego. Wiem jeszcze o czterech.

– Które miały z nim jakiś z w i ą z e k?

– Nie, nie, po prostu nadmiernie się angażowały. Zdziwiłby się pan, jak wiele osób nie wierzyło w to, że Danny zabił tę kobietę.

Kiedy próbował w pracowni stolarskiej dźgnąć kolegę śrubokrętem, nauczyciel był kompletnie zdruzgotany. Należał do tych, którzy nie mogli uwierzyć w jego winę. Danny nie był skory do bójek, dlatego ludzie na ogół uważali, że nie jest zdolny do aktów przemocy. A ten nauczyciel powiedział, że pomyślał wtedy: mój Boże, a jednak. Herbata wystygła.

– Zrobić panu jeszcze jedną?

– Zabieram pani tyle czasu.

– Nic nie szkodzi. Nastawię wodę.

Pani Greene wstała i zaczęła się krzątać po kuchni. Tom obserwował ją, myśląc, że jednak w dalszym ciągu nie wie, co ona czuła do Danny'ego.

– Interesuje mnie to, co pani powiedziała o zdolnościach naśladowczych Danny'ego. Jeśli to jest dobre określenie.

– Nie, to było coś więcej. Danny... – szukała właściwego słowa – pożyczał sobie życia innych ludzi. Tak jakby... jakby nie miał swojego własnego kształtu, jakby się owijał wokół innych. Z czego powstał rodzaj takiej osobowościowej składanki. Obserwował ludzi, dużo o nich wiedział, a jednocześnie nie wiedział nic, bo zawsze patrzył tylko na to lustrzane odbicie. No i oczywiście każdy go zawodził, bo Danny'ego nie można było n i e z a w i e ś ć. Już sam fakt bycia odrębną osobą traktował jak zdradę. A to wywoływało w nim absolutną furię. Angus nie miał zielonego pojęcia, w co się ładuje.

– Pani go nie lubiła, prawda?

Krótki wybuch śmiechu.

– Uważałam go za jednego z najbardziej niebezpiecznych chłopców, jakich kiedykolwiek mieliśmy w tej szkole. Bernard twierdzi, że dokonaliśmy w nim gruntownej przemiany. Nie sądzę, żebyśmy zostawili choćby rysę na powierzchni. A jeśli nawet, to tylko Angus, i proszę zobaczyć, co się z nim stało.

– A pani wie, co się z nim stało?

– Z Angusem? Prowadzi coś w rodzaju warsztatów pisarskich. Przynajmniej jedno dobre, że dalej uczy.

– Czy mogłaby mi pani podać jego adres?

– Tak, chwileczkę, zaraz znajdę.

Tom podszedł do drzwi wiodących na patio i patrzył na ogród, podczas gdy pani Greene przewracała papiery w szufladzie. Zielone trawniki, krzewy róż, błękitne wpełzające na trawę cienie. Za drzewami gładkie, pozbawione okien mury poprawczaka, niepokojące w bladym popołudniowym świetle jak twarz bez oczu.

– Kiedyś mieszkaliśmy tam – powiedziała pani Greene, która właśnie zdążyła wrócić. – Wyobraża pan sobie? Bernard uważał, że będzie lepiej dla chłopców, jeśli zamieszka z nimi normalna rodzina. Ale musiałam postawić weto. Normalna rodzina szybko przestałaby być normalna, gdybyśmy nie mieli ani trochę prywatności.

– To musiało budzić nastrój klaustrofobiczny.

– Oczywiście. – Wyciągnęła w jego stronę kartkę papieru. – O, proszę. Północne Yorkshire. A zawsze myślałam, że on wróci do Szkocji.

Tom podziękował pani Greene i wkrótce potem pożegnał się, i wyszedł. Przez jakiś czas stała przy drzwiach, patrząc za nim, a kiedy wycofywał samochód, wyszła na podjazd.

– Tylko niech pan będzie ostrożny, dobrze? – powiedziała, a Tom nie miał wątpliwości, że nie chodziło jej o zapadający zmrok i o długą podróż, jaką miał przed sobą.

Rozdział czternasty

Pod wieczór zaczęło padać. Powierzchnia rzeki, poznaczona zachodzącymi na siebie kołami i bąblami, była zbyt wzburzona, by mogła odbijać ciemniejące niebo. Tom zajrzał do pokoju.

– Byłem w Long Garth.

– Widziałeś się z panem Greene'em?

– Widziałem.

Danny uśmiechnął się.

– Nie będę cię pytał, co o nim myślisz.

– Ważniejsze, co ty o nim myślisz.

– Idealista. Naiwny. – Krótka pauza. – I próżny.

– Nie, ale chodzi mi o to, co o nim pomyślałeś, kiedy tam przyjechałeś. Kiedy miałeś jedenaście lat.

– Przypuszczam, że go podziwiałem. Był podobny do mojego ojca. Pod pewnymi względami. Zawsze wyprostowany. Czysty. Zorganizowany. W szkole panowała absolutna klarowność i to się brało od niego. Każdy znał zasady, wiedział, jakie są nagrody, jakie kary, zawsze jednakowe i jednakowe dla wszystkich. Człowiek czuł się bezpieczny. Wiem, że wiele osób uznałoby panujący w szkole reżim za ułomny. Ale cóż... trzeba zaczynać od rzeczy podstawowych. W takim miejscu nie da się nic zrobić, jeśli ludzie nie poczują się bezpieczni. A myśmy się czuli. Byliśmy dwadzieścia cztery godziny na dobę pod nadzorem. Nie można było iść na własną rękę do ubikacji, nie można było zamknąć drzwi od własnego pokoju, nie można było przebywać z nikim sam na sam, wyjść na zewnątrz... Absolutny koszmar, nienawidziłem tego, ale to działało.

– I tam poznałeś Angusa?

Danny robił wrażenie zdziwionego.

– Greene ci o nim powiedział?

– Nie, jego żona.

– A, tak, Elspeth. Niezbyt mnie lubiła.

– Jak myślisz, dlaczego niezbyt cię lubiła?

– Może nie przepadała za mordercami?

Tom nie podtrzymał ironicznego tonu tej uwagi i po chwili milczenia poprosił:

– Powiedz mi coś więcej o Angusie.

– Nie wiem, czy jest tu wiele do opowiadania. – Danny patrzył mu w oczy, najprawdopodobniej starając się wysondować, ile Tom już wie. – Był świetnym nauczycielem.

– To wobec tego powiedz mi coś o jego metodach nauczania. O czym kazał ci pisać?

– Normalnie. Na przykład „Sztorm na morzu". Chodziło o możliwość wypisania się. Pewnego dnia powiedział: „Napisz o swoim dziadku". Wybrałem dzień, w którym mój dziadek umarł. – Danny sięgnął po następnego papierosa. – Wiele lat o tym nie myślałem. Przyszedł do kuchni i zaczął mówić o królikach. Tysiące królików – powiedział – na tym najwyższym polu. I miał na łysinie krople potu, szare, jak brudny deszcz. A o północy już nie żył.

– Na co umarł?

– Na zapalenie płuc. Zapalenie płuc – przyjaciel starego człowieka.

Wyglądało na to, że Danny utknął w martwym punkcie.

– O czym jeszcze pisałeś? – zapytał Tom.

Uśmiechnął się.

– „Mój ulubieniec".

– Duke?

– Tak. To był mastyf. Trzymaliśmy go na łańcuchu koło domu. Lubił patrzeć na gęsi, jak przechodziły tamtędy do stawu. Któregoś roku, przed samym Bożym Narodzeniem, złapał jedną z nich. Moja babka mówiła, że on obserwuje, jak one się tuczą. Był stary, śmierdzący i u pyska wisiały mu sznury śliny.

– Kochałeś go?

– Nie wiem – odparł Danny z miną niewyrażającą żadnych uczuć.

– Dlaczego był trzymany na łańcuchu?

– Bo ojcu odpowiadała idea posiadania wielkiego psiska, ale nie chciał ponosić trudów układania go. Jak w wielu innych wypadkach, tak i tu ojciec działał na pokaz. A kiedy odszedł od nas, odszedł i od psa. – Danny roześmiał się. – Przeżyłem to bardziej niż fakt, że mnie porzucił. W każdym razie ten pies był za duży, żeby matka mogła sobie z nim sama dać radę. Moja babcia, litując się nad nim, wzięła go na spacer, a on ją wciągnął w pokrzywy. Dlatego oddaliśmy go człowiekowi, który prowadził złomowisko. Odwiedzałem Duke'a w przerwach na lunch, kiedy byłem w szkole, i widziałem dokoła niego pełno napisów w rodzaju: „Uwaga, zły pies!" Stała tam też niewielka buda, za mała, żeby mógł w nią wleźć, i miska bez wody. Powiedziałem dzieciakom, że to jest mój pies, ale one mi nie uwierzyły, więc wlazłem do niego i objąłem go ramionami, ale Duke bardzo śmierdział. Był gorący i cały zaśliniony – był obrzydliwy. Zacząłem płakać.

– I to o tym właśnie napisałeś, tak?

– Tak, i o tych kurach chowanych metodą bateryjną, i o świniach na sąsiedniej farmie. Aż w końcu Angus powiedział: „Ale ja nie widzę u ciebie ludzi". Oczywiście miał rację. W żaden cholerny sposób nie mógł mnie do tego skłonić.

– No więc jak cię ostatecznie namówił?

– Zapytał: „Czy twój ojciec goli się elektryczną golarką?" A ja na to, że nie. „To opisz mi, jak się twój ojciec goli". To golenie ojca łączyło się zawsze z wielkimi napięciami, bo kiedy cały dzień był na farmie, nie golił się rano, tylko wieczorem, przed wyjściem. Siedzieliśmy wtedy z matką w salonie – ja na tej skórzanej kanapie, która tam stała, i jeżeli miałem na sobie krótkie spodnie, to łydki przylepiały mi się do skóry, i kiedy wstawałem, dosłownie wrzeszczałem z bólu. Matka siedziała w fotelu i plisowała spódnicę. Układała coraz to nowe fałdki i wygładzała je, i znów układała, i... nie odzywała się przy tym ani słowem. A z kuchni dochodziło bluzganie i parskanie. Zawsze szykował się nad zlewem kuchennym i zachowywał się tak, jakby chciał wywołać awanturę. Bo, rozumiesz, szedł do pubu, żeby wydawać pieniądze, których nie mieliśmy, i stawiać kolejki ludziom, którzy za plecami go wyśmiewali. I zawsze towarzyszyło temu wielkie... napięcie.

– Kłócili się? Czy on ją bił?

– Nie, bił mnie. Żeby jej dokuczyć.

– Czyli Angus wyszukiwał czułe punkty.

– Ach, to był dynamit. Chcę powiedzieć, że całkowicie zablokowałem przeszłość. Nie miałem żadnego wytłumaczenia dla faktu, że znalazłem się w poprawczaku. Po prostu tam byłem, i już. Ale nie dlatego, żebym zrobił coś złego. Wierzyłem w swoją historię.

– To dlaczego pisałeś o przeszłości? Przecież mogłeś nie pisać.

Danny poruszył się na krześle.

– Myślę... – westchnął – myślę, że uzależniłem się od... od tych napięć.

– Czułeś, że to jest niebezpieczne?

– Jeszcze jak! Bo co on sobie, do jasnej cholery, wyobrażał, że do czego zmierza? Jakby się zastanowić nad tym, co on robił, to tak jakby wziął faceta wychłodzonego i posadził koło buchającego żarem ognia. Kiedy wraca czucie, facet drze się wniebogłosy.

– Tak, rozumiem. Ale jest jeszcze jedna rzecz, której nie należy robić przy hipotermii: nie należy takiej osoby zostawiać na przykład w śniegu.

– Wiem, że nie należy. I wiem, że to było konieczne. Ale w pewnym momencie Angus się we mnie zakochał, a to nie pomagało.

– Kiedy się zorientowałeś, że jest w tobie zakochany?

– Dość późno. Nie wiem, czy dopóki tam byłem, w ogóle zdawałem sobie z tego sprawę. Ale jeśli chodzi ci o to, kiedy się zorientowałem, że chce mnie przelecieć, to proste: w jakieś pięć minut po tym, jak się spotkaliśmy.

– I kochał się z tobą?

– Owszem.

– Jak, na miłość boską, mogliście to robić? Przecież byliście pod nadzorem dwadzieścia cztery godziny na dobę, a na noc was zamykano...

– Ale nadzorował nas Angus...

– I jak długo to trwało?

– Dwa miesiące? Niedługo.

– Pamiętasz, jak to się zaczęło?

– Przechodząc koło okna jego pokoju, w którym uczył, zapukałem w szybę. Siedział akurat przy biurku i poprawiał zeszyty. Kiwnął na mnie, żebym wszedł. Zaczęliśmy rozmawiać, nic więcej nie robiliśmy. Ale byliśmy sami, a regulamin w bezwzględny sposób tego zabraniał, o czym obaj bardzo dobrze wiedzieliśmy. Prowadziliśmy rozmowę zupełnie niezobowiązującą, całkowicie niewinną, ale jednocześnie... W pewnym momencie Angus musiał iść na zebranie i na tym się skończyło. Tyle tylko, że on wiedział, że ja znów zapukam do jego okna, a ja wiedziałem, że on mnie zaprosi. – Danny uśmiechnął się. – To wszystko było takie cholernie tłumione, że byś nie uwierzył. Na przykład rozmowa o Jane Austen. I tak to się ciągnęło dosyć długo. Aż któregoś dnia, tak jakoś się o niego otarłem, oczywiście celowo... – Wzruszył ramionami.

– I dyrektor się dowiedział?

Danny robił wrażenie zdziwionego, jakby zapomniał, jak się ta cała afera skończyła.

– Właśnie.

– I Angus stracił pracę.

– Tak.

– Powiedziałeś dyrektorowi?

– Nie. Powiedziałem jednej z nauczycielek. A ona powiedziała Greene'owi.

– Nie było żadnego dochodzenia?

– Nikomu na tym nie zależało. A już na pewno nie Angusowi.

– I to oznaczało koniec grzebania w przeszłości?

– Tak. Aż do chwili obecnej.

Tom pojął aluzję.

– No więc dobrze – powiedział. – Twój ojciec odszedł, a ty szukałeś prezentu, który, jak sądziłeś, musiał ci zostawić, i znalazłeś jego lornetkę.

– I mniej więcej przez trzy miesiące z nią sypiałem.

– Mówiłeś też, że patrzyłeś na matkę odwrotną stroną, i wtedy wydawała ci się maleńka jak żuczek i nie musiałeś jej żałować. A było ci jej żal? Czyli że jednak istniał jakiś problem.

– No, owszem. Nawet w najlepszych czasach takie życie byłoby trudne dla kobiety, a jeszcze po mastektomii... Straciła włosy. Straciła męża. No na miłość boską. Jakoś tak przed Bożym Narodzeniem poprosiła jednego z sąsiadów, żeby jej zabił gęsi, i siedziała w szopie do północy, skubiąc je. W pewnym momencie wszedłem tam i przeciąg porwał wszystkie pióra, a to potem trwa wieki, zanim one opadną. Kiedy się im przyjrzałem bliżej, okazało się, że każde pióro ma na czubku kropelkę krwi. Próbowałem skubać te gęsi, ale oczywiście bardzo szybko mi się znudziło i mama powiedziała: „Daj spokój, synu. Idź spać". W szopie panował lodowaty chłód, a skóra na tych gęsiach była jakaś obrzydliwie żółta, cała w pryszczach, zimna. – Skrzywił się. – Nienawidziłem matki, bo nie mogłem jej pomóc.

Słowo „nienawidziłem" jakby go wyzwoliło.

– Nienawidziłem jej za to, że nie potrafiła go utrzymać. Nienawidziłem jej za to, że była chora, nieszczęśliwa, łysa, brzydka i stara. Nienawidziłem jej za to, że kiedy płakała, czerwieniał jej nos. A jednocześnie bałem się, że umrze. Ale nawet i tu miałem mieszane uczucia, bo w głębi duszy fantazjowałem: jak ona umrze, to on będzie musiał wrócić i mnie wziąć.

– I byliście tylko we dwoje?

– Tak, do nawrotu raka i drugiej mastektomii. Bo wtedy przyjechali dziadkowie i z nami zamieszkali. Nie wiem, jak by sobie bez nich poradziła.

– Po jakimś czasie umarł twój dziadek.

– Tak, do ostatka bełkotał o królikach, biedny stary sukinsyn. Babka wróciła do siebie. Nic nie mogła zrobić, sama była chora. Wydaje mi się – nie jestem pewien, ale tak mi się wydaje – że doszło między nimi do jakiegoś nieporozumienia. Miała chyba żal do matki o śmierć dziadka. Za dużo pracował, starał się pomóc, a przecież nie powinien, bo był chory na serce.

– Wygląda na to, że ciągle ktoś do kogoś miał żal.

– Rzeczywiście, ciągle były tylko pretensje i żale.

– Jak na to wszystko reagowałeś?

– Świrowałem. Zaraz, co ja takiego robiłem? Na przykład wzniecałem pożary. Kiedyś podpaliłem swój pokój. To chyba było najgorsze.

– Jakie miałeś wtedy uczucie?

– Fantastyczne, cudowne. Matka powiedziała, że kiedy weszła do pokoju, gapiłem się na ogień, nawet nie próbując go gasić. Dla niej to było straszne, bo czuła, że nie może mnie zostawić, a wiedziała, że będzie musiała. Wtedy już pracowała jako sprzątaczka. Gospodarstwo wystawiła na sprzedaż, ale jakoś nie było chętnych. Wyprzedała cały inwentarz i żyliśmy z zasiłku, ojciec nigdy nie przysłał ani pensa. Dostała tę nędzną pracę i biegała tam i z powrotem na piechotę i zawsze, wracając, truchlała, że zastanie nasz dom w płomieniach. Wtedy spaliłem stodołę. I spowodowałem mały pożar w szopie. A reszta to już była poza domem. Do spółki z innymi dzieciakami. Kiedyś wznieciliśmy taki pożar, że cztery wozy strażackie miały co robić przez wiele godzin.

– Przyglądałeś się?

– Tak.

– Co czułeś?

– Władzę.

– Przeciwieństwo tego, co czułeś, kiedy ojciec wieszał cię na kołku?

Pełen goryczy uśmiech.

– Aha.

– A co robiłeś z pozostałym czasem?

– Snułem się z kąta w kąt. Wagarowałem. Kradłem.

– Na własną rękę?

– Nie, należałem do gangu. Tylko że myślę... nie wiem.

– Mów, mów.

– Myślę, że oni byli normalniejsi ode mnie. Na przykład bawiliśmy się, że jesteśmy desantem służb specjalnych za liniami nieprzyjacielskimi, i byliśmy w tej zabawie całkowicie pogrążeni, jak to dzieciaki, ale w pewnym momencie zabawa się dla nich kończyła i zaczynali się zajmować czymś innym, podczas gdy ja dalej w tym tkwiłem. I powiedzmy, szedłem do któregoś z chłopaków, a on podchodził do drzwi i mówił: „Dziś nie mogę wyjść, bo przychodzi do nas na herbatę babcia". Co on pieprzy o jakiejś babci? – dziwiłem się. Przecież jesteśmy desantem służb specjalnych. Bo ja przez cały czas tkwiłem w świecie fikcji. Leżałem wieczorem w łóżku

145

i słuchałem matki i babki na dole i one były dla mnie cywilami w nieprzyjacielskim kraju.

– A co z pożarami i kradzieżami?

– To była dla mnie część gry. Podpalałem budynki wroga. Żyłem z tej wrogiej ziemi.

Jeszcze chwila i okaże się, że śmierć Lizzie to były straty wśród ludności cywilnej, powstałe wskutek działań wojennych.

– Kogo okradałeś?

– Matkę. Sklepy. W końcu domy.

– Ze swoim gangiem?

– Czasami. Wszyscy ściągali słodycze w sklepach.

– A kradzieże w domach?

Zawahał się.

– Nie, to już ja sam. Nie chodziło o pieniądze. Chociaż były mi potrzebne. Nie wiem... bycie w tych domach sprawiało mi przyjemność. Bycie tam, oddychanie tym powietrzem, zostawianie niewidocznych śladów na dywanie. Cieszyła mnie myśl, że kiedy ci ludzie wrócą do domu, nie będą o niczym wiedzieli. – Wzruszył ramionami. – To trudno wytłumaczyć. Nic w takim domu mi nie zagrażało.

– Dom był bezbronny?

– Tak, coś w tym rodzaju.

– Czy twoja matka wiedziała?

– Wiedziała o sklepach, bo mnie złapali. Facetka z kiosku z gazetami. Matka musiała iść na policję. A potem dyrektorka chciała się z nią zobaczyć, bo wagarowałem. Zawiadomili służby społeczne i to było gorsze od policji. Matka nie była do czegoś takiego przyzwyczajona, więc zrobiła to, co zrobiłby ktoś taki jak ona. Porozmawiała z pastorem i pastor wziął mnie do chóru kościelnego. I tak właśnie – dodał, widząc wyraz twarzy Toma – w samym środku tego wszystkiego zostałem chłopcem z chóru kościelnego. Tylko że zacząłem okradać innych chłopaków i pastor przyszedł do domu i powiedział, że nie może mnie już dłużej trzymać. Że to byłoby nie w porządku w stosunku do innych chłopców. I wtedy się już przelało i matka pękła. – Mówiąc, Danny starannie rozduszał papierosa. – Po wyjściu pastora – powiedział w końcu, z rozmysłem rozcierając w palcach włókna tytoniu – wzięła na

146

mnie pasa. To była druga rzecz, którą ojciec zostawił. Pomyślałem: nie możesz tego zrobić. A ona waliła, wrzeszczała i waliła. A wyglądała przy tym tak ohydnie, że nagle pomyślałem: nie. Złapałem koniec pasa, owinąłem go sobie wokół nadgarstka i zacząłem. Raz i drugi, i znów. Obracałem ją dokoła, a potem, kiedy przestałem, poleciała na ścianę i osunęła się na ziemię. Peruka jej się przekrzywiła i tak na siebie patrzyliśmy – ona na mnie, ja na nią i... – Danny zaczerpnął tchu. – Wybiegłem z domu. I wróciłem niewiele przed północą.

– Co czułeś?

– Radość.

– Dokąd poszedłeś?

– Donikąd. Tak łaziłem.

Danny siedział, wpatrzony w swoje ręce, nie mogąc albo nie chcąc dalej mówić.

Milczenie przerwał Tom.

– Na jak długo przed śmiercią Lizzie to było?

Uniósł głowę z wyrazem lekkiego zdziwienia.

– Wiesz, że nigdy się nad tym nie zastanawiałem? Na dzień przed jej śmiercią.

Rozdział piętnasty

Zadzwoniła Lauren z pytaniem, kiedy mogłaby przyjechać po obrazy i niektóre meble. „Nigdy" – miał ochotę powiedzieć, ale w porę się pohamował.

– Które meble? – zapytał, zły i podejrzliwy. Nie chciał, żeby to tak zabrzmiało, ani nie miał takiej intencji, ale na myśl o stojącej przed domem ciężarówce i ludziach wynoszących część jego życia zrobiło mu się, mówiąc oględnie, nieprzyjemnie. Kiedy usłyszał jej głos, na moment wstąpiła w niego nadzieja, że może powie: „Wiesz co, nie róbmy nic w pośpiechu. Odczekajmy jeszcze kilka miesięcy". Zamiast tego jednak cierpkim, rzeczowym, lodowatym tonem zażądała wyznaczenia daty i godziny.

– Stół z holu. Sofy z salonu, krzesło z zaokrąglonym oparciem i komoda z sypialni.

Wszystko jej. Nie ma się do czego przyczepić.

Kiedy się nie odzywał, powiedziała:

– Stół z holu był prezentem od mojego ojca. Jeszcze zanim się poznaliśmy.

– Jasne, oczywiście, że stół jest twój. I reszta też. – Bierz wszystko – miał ochotę powiedzieć. Jednocześnie oczyma wyobraźni w nieprzyjemnie dokładny sposób zobaczył siebie mocującego się na schodkach z ludźmi od przeprowadzki.

– No więc kiedy byłoby ci wygodnie?

Nigdy.

– We czwartek. – I to słowo „wygodnie" – pomyślał. Nienawidził go. To było nie-słowo. Tak jak mówienie o „dyskomforcie", kiedy pacjent wyje z bólu. – Około dziesiątej? Czy może to będzie za wcześnie?

– Wolałabym około pierwszej. Będę jechała samochodem.

To pociągnęło za sobą problem jedzenia. I picia. Nie wiedział, czy Lauren chciałaby coś jeść, czy nie. Mógłby zaproponować. A ona mogłaby odmówić. Ale wolał nie dawać jej do tego okazji.

– W porządku.

Chciał jeszcze coś powiedzieć, ale w tle usłyszał męski głos i głos Lauren, przytłumiony, ponieważ przykryła ręką słuchawkę.

– Muszę już iść – powiedziała w pośpiechu. – To o pierwszej. We czwartek. W porządku?

Nie.

– Tak, w porządku. Do zobaczenia.

Kiedy odłożyła słuchawkę, przez jakiś czas usiłował sam siebie przekonać, że głos w tle należał do jego teścia. Potem snuł się po domu, z obrzydzeniem myśląc o nadchodzącej inwazji i przyglądając się obrazom Lauren. Trzy z nich, wiszące w salonie, stanowiły próbę uchwycenia niezwykłego światła pojawiającego się na rzece wczesnym rankiem i wieczorem, szczególnie podczas odpływu. Najlepszy był niemal abstrakcją: wśród mieszaniny brązów i srebrnych szarości sterczące żebra zatopionej łodzi, widoczne w czasie odpływu.

Ale ulubionym obrazem Toma był zachód słońca, choćby tylko dlatego, że towarzyszył Lauren, kiedy go malowała. Pewnego dnia późnym popołudniem wzięli koszyk piknikowy, pojechali do ujścia rzeki i kiedy słońce zaczęło zachodzić, Lauren rozstawiła sztalugi i zabrała się do malowania.

Na horyzoncie pojawiły się smugi czarnych chmur, ale spokojna, świetlista woda odbijała ostatni blask nieba. Usiadł z książką, udając, że czyta, ale w gruncie rzeczy obserwował Lauren. Malując, stawała się zupełnie inną osobą: kiedy otwierała puszkę piwa, kiedy śmiała się z twarzą całą w pianie, bosa, w jego starych dżinsach, mocno ściągniętych paskiem w talii. Lauren była piękna i elegancka, ale – wyjąwszy chwile, kiedy malowała – pozbawiona wdzięku. Wydawała się zbyt skrępowana, a jej ruchy nienaturalne. Chyba że, tak jak wtedy, to cofała się od sztalug, to znów się do nich

149

zbliżała, wykonując drobne ruchy pędzlem, i tak w koło – to w tył, to w przód – niby lekko spowolniony koliber.

– Brakuje czegoś na pierwszym planie – powiedziała. – Możesz być ty. – Wobec tego podszedł, z książką w ręku, i stanął we wskazanym przez nią miejscu. – Odłóż książkę, na miłość boską. Wyglądasz jak Wordsworth. – Złapała go za ramiona i manewrując nim, ustawiła w stosownej pozie. Pachniał potem chanel 19, który nie wydawał mu się szczególnie zmysłowy, i terpentyną, która, owszem, wydawała mu się zmysłowa, i to bardzo. – O, tak. – Pełne satysfakcji skinienie głowy i Lauren wróciła do sztalug. Spoglądając kątem oka, widział jej oczy nad płótnem, rozważające go jako problem w kategoriach światła i cienia, a poniżej jej bose stopy, które wykonywały swój niekończący się taniec w piasku.

Niemal najgorsze w ostatnim tygodniu było to, że problem jego obecnego życia w przykry sposób rzutował na przeszłość. Ponieważ się rozstawali, można było przyjąć, że tak naprawdę nigdy nie byli szczęśliwi. Kiedy usiłował sobie wyobrazić Lauren malującą ujście rzeki, jej obraz się zmienił przez fakt, że odeszła. Szczupła postać w za dużych dżinsach stała się podwójnie niematerialna, jakby rejestrowanie przez nią zachodu słońca nad rzeką nie było niczym innym, jak tylko pierwszym etapem jej pożegnania. Wakacyjne fotki: potrzeba zarejestrowania miejsca, które się już zna, przetrwa tylko w twojej pamięci. W jego wspomnieniach Lauren przestępowała z nogi na nogę, podnosiła do ust puszkę piwa, poprawiała włosy brudnymi od farby palcami, pachniała terpentyną, ale jej postać już powoli zanikała. Ten obraz, kiedy Tom ponownie na niego spojrzał, podtrzymał go na duchu. Lauren malowała rzekę, ponieważ ją kochała, i Tom, czując rzeczywistość tej miłości, bardzo precyzyjnie, wcale nie mgliście, w poszczególnych pociągnięciach jej pędzla, mógł dalej wierzyć, że jego też kiedyś kochała.

Bardzo mu to pomogło, a nawet ukoiło, ale przecież we czwartek obrazów już nie będzie.

Rozdział szesnasty

W cztery dni po rozmowie z Lauren Tom stał na małej stacji kolejowej na skraju wrzosowisk Yorkshire i patrzył, jak jego pociąg ginie w oddali, zamieniając się w ledwie widoczne mrugające światełko. Po odjeździe pociągu zapadła cisza, jeśli nie liczyć jęku szyn, kurczących się po upalnym dniu, i dalekiego krzyku mew.

Przez telefon głos Angusa wydawał się energiczny i rześki, a jego szkocki akcent nie tak wyraźny, jakby to wynikało z naśladowczych popisów Danny'ego. Nie ma sensu jechać samochodem – powiedział. Studium Pisarskie Scarsdale mieści się w odległości mniej więcej półtora kilometra od stacji kolejowej i prowadzi do niego wyboista droga, z którą radzi sobie tylko land-rover. A zresztą nie ma problemu z odebraniem go ze stacji.

Jednak czy problem był, czy go nie było, nikt się po Toma nie zgłosił. Postawił torbę i usiadł na ławce pod plakatami, z których jeden reklamował uroki Whitby, a drugi zapewniał o dwudziestoczterogodzinnej gotowości Samarytan[*]. Tom zaczął się już zastanawiać, jak tu wezwać taksówkę, kiedy usłyszał stukanie wysokich obcasów i zobaczył kobietę o długich pomarańczowych włosach, ciągnącą za sobą obłok przezroczystego materiału.

– Czy ty jesteś Tom Seymour?

Tom potwierdził, że tak.

– Rowena Moody. – Kobieta przedstawiła się tak, jak to robią osoby pewne, że ich nazwisko powinno być znane, ale Tomowi nic

---

[*] Samarytanie – ochotnicza organizacja pomagająca ludziom samotnym i dotkniętym kryzysem.

ono nie powiedziało. – Jestem jedną z wykładowczyń na kursie w tym tygodniu – dodała charakterystycznym, pełnym wyższości tonem, który zamienił się w suche belferskie warknięcie, kiedy zrozumiała, że nie będzie oczekiwanego „och", świadczącego o właściwym skojarzeniu. – Mamy w tej chwili trochę zamieszania. Bo dziś wieczór spodziewaliśmy się gościa z zewnątrz i Angus miał nadzieję, że będzie to... – Z szacunkiem zniżyła głos, wymieniając nazwisko, które nawet Tomowi, nieczytającemu powieści, było znane. – Ale powiedziałam Angusowi, że nie ma o czym marzyć. Gdzie facet się tu będzie pchał? Z jego punktu widzenia między Londynem a Edynburgiem jest tylko dziura w ziemi.

Szybkim krokiem szli w stronę land-rovera. Powiewające za Roweną draperie kojarzyły się Tomowi z Isadorą Duncan, ale Rowena usadowiła się wygodnie za kierownicą, utykając dokoła siebie metry jedwabnego szyfonu.

Ruszyli przez parking i wyjechali poza teren stacji kolejowej. Błyskawicznie stało się dla Toma jasne, że Rowena za kółkiem land-rovera czy jakiegokolwiek innego pojazdu to śmiertelne niebezpieczeństwo.

– Ooops – powiedziała w pewnym momencie, nadeptując na pedał hamulca i pakując lewą rękę w krocze Toma dla wzmocnienia roli jego pasa bezpieczeństwa. – Zupełnie go nie widziałam, a ty?

Znalezienie się na wrzosowiskach, gdzie było stosunkowo mało samochodów, a owce na widok nadjeżdżającej Roweny pierzchały na boki, przyjął z wielką ulgą.

– Jak poznałeś Angusa? – zapytała w chwili, którą można było nazwać stosunkowo spokojną.

– Szczerze mówiąc, nie znam go. Przyjaciel przyjaciela, tak by to można nazwać. – Powinien był przygotować sobie jakąś historię, skoro wspomnienie Danny'ego nie wchodziło w grę.

– To ty nie jesteś kandydatem na pisarza?

– Nie, jestem psychologiem. Owszem, piszę, ale nie beletrystykę. – Im prędzej skończy się to dochodzenie, tym lepiej. – A ty często wykładasz na tych kursach?

Był to jej trzeci raz. Chętnie wdała się w pogawędkę na temat studium: piętnastu kandydatów na pisarzy spędza tydzień pod opieką dwóch pisarzy profesjonalnych w systemie terminowania.

– To wywołuje wielkie napięcia emocjonalne, nie uwierzyłbyś. Grupy ze sobą rywalizują.

– A co z twoją grupą?

– Jak do tej pory, nie znaleźliśmy jeszcze żadnego dziwoląga.

– A musi być?

– Tak, przy odrobinie szczęścia jeden na grupę. A przy braku szczęścia dwóch albo i trzech.

Może Angus lubił zamknięte, pełne napięć społeczności. W każdym razie znalazł sobie właśnie taką czy nawet kilka po kolei.

– A czy Angus też prowadzi zajęcia?

– Podczas tej sesji tak, ale nie, nie zawsze. Razem z Jeremym prowadzą studium. Jeremy jest jego partnerem.

W jej głosie pojawiła się krytyczna nuta. Tom odniósł niemiłe wrażenie, że Rowena sprawdza jego orientację seksualną.

– Jeremy'ego też nie znam.

– W tym tygodniu i tak jest nieobecny. Obawiam się, że kiedy kota nie ma... – Złośliwie zmarszczyła nos. – ...to ścieżka prowadząca do domu wykładowców jest nietknięta ludzką stopą.

Nie zwalniając ani w żaden inny sposób nie sygnalizując swoich zamiarów, Rowena skręciła w lewo, w wyboistą drogę z kamiennymi murami po obu stronach. Wziąwszy z dużą szybkością ostry spadek, zatrzymała się przed niskim wiejskim domem, wtulonym – dla ochrony przed wiatrami, które deformowały tu każde drzewo – w zbocze pagórka. Nawet teraz, w spokojny jesienny wieczór, kiedy Tom wysiadał z land-rovera, uderzył w niego poryw wiatru. W burzliwe noce ludzie musieli się tu czuć jak na pełnym morzu.

Rowena wprowadziła go do domu. Podłogi były tu wyłożone czerwonymi płytkami, wielki wazon z cykutą rzucał cienie na białą ścianę, a na komodzie stała misa kamyków. Rowena przemknęła do kuchni i Tom podążył za nią. Przy jednej z lad kuchennych stał młody, wysoki, jasnowłosy mężczyzna i wyciskał do salaterki mięso z osłonki kiełbasianej.

Spojrzał i uniósł brwi.

– Nie mogłem dostać mielonego, uwierzysz?

– Tylko niech cię Angus nie zobaczy – mruknęła Rowena. – Dostanie zawału, a ja sobie nie poradzę. Ale właśnie, gdzie on jest?

– W biurze. Usiłuje znaleźć zastępstwo.

– Jeszcze?

Angus rozmawiał przez telefon. Słysząc głos Roweny, uniósł palec i powiedział do słuchawki:

– Nie, absolutnie nie. Oczywiście, że po ciebie przyjadę, i możesz zostać na noc. Nie ma sensu, żebyś wracała jeszcze wieczorem. – Chwilę słuchał, po czym podjął: – Za czterdzieści minut? W porządku. – Odłożył słuchawkę i zaczął pięścią uderzać w powietrze.

– Sukces? – spytała Rowena.

– Lucy się zgodziła.

– Dzięki Bogu. Jeśli się uda w środku tygodnia ściągnąć kogoś nowego – zwróciła się do Toma – to następuje ożywienie. Bo nas do tej pory mają już serdecznie dosyć. Chociaż myślę, że biedna Lucy ich rozczaruje.

– Pieprzę to – powiedział Angus teatralnym tonem. – A ty pewnie jesteś Tom. – Mocny uścisk suchej, ciepłej dłoni i twarde spojrzenie. – Teraz muszę wyskoczyć, ale spotkamy się później. Pewnie się zorientowałeś, że mamy tu dziś urwanie głowy. – Mówiąc to, wziął od Roweny kluczyki od land-rovera. – Bądź taka kochana i powiedz tam w kuchni, że ona jest wegetarianką, dobrze? Tylko niech się nie przejmują, niech po prostu będzie dużo sałaty.

Po wyjściu Angusa Rowena zrobiła minę.

– Zawsze to samo. Najpierw robi słodkie oczy, żeby kogoś złapać, a potem się okazuje, że ta osoba nie spełnia oczekiwań.

W jadalni były poczerniałe belki sufitowe, białe ściany i stary kominek. Trzy wysokie okna wychodziły na dolinę, pełną teraz niebieskiego światła, chociaż jeszcze w dalszym ciągu na dalekich wzgórzach świeciło słońce. Tom usiadł koło Roweny. Angus i Lucy, drobna, ciemna kobieta o nieśmiałym, skwaszonym wyrazie twarzy, przyszli spóźnieni i zajęli miejsca naprzeciwko. Jedzenie było dobre i popijali je dużą ilością wina.

– Mamy tu wspólną pulę – wyjaśniła Rowena – ale niektórzy z nas przynoszą jeszcze swoje.

Przez cały posiłek pokazywała mu uczestników kursu. Były wśród nich dwie kobiety, najwyraźniej siostry, obie wdowy. Jedna z nich po śmierci męża przeniosła się o jakieś czterysta pięćdziesiąt kilometrów, żeby mieszkać bliżej tej drugiej, i aż do tego tygodnia były nierozłączne. Teraz siedziały po przeciwnych stronach stołu i każda z nich wyglądała, dzięki uderzającemu wzajemnemu podobieństwu, jak lustrzane odbicie tej drugiej. Żadna z sióstr nie odzywała się do siedzących po obu stronach osób.

– To jest cały Angus – powiedziała Rowena. – Zawsze spotyka się z nimi oddzielnie i bez przerwy bada i sonduje, z jakiego powodu są takie złe. Nazywa to piaskiem w oku. Ważne, żeby znaleźć przyczynę złości. No więc Nancy jest wściekła, ponieważ ich ojciec często się wkurzał i wtedy bił matkę, która była absolutną świętą i która wychowała ósemkę dzieci prawie bez pieniędzy. Poppy z kolei się pieki, kiedy ktoś powie coś złego na ojca, który był fantastycznym facetem i nigdy w życiu nie wziął alkoholu do ust, mimo że zrzędliwa żona doprowadzała go do ostateczności. Są tylko dwa lata różnicy między nimi, a robią wrażenie, jakby się wychowały na dwóch różnych planetach. Angus namówił Nancy, żeby napisała o pijaństwie ojca i żeby to potem odczytała głośno wobec całej grupy. Na co Poppy wstała i wyszła. I od tej pory przestały ze sobą rozmawiać.

– Myślisz, że to tylko sprzeczka?

– Nie, nie sądzę, myślę raczej, że to się będzie ciągnęło latami. Trzeba zadać sobie pytanie: o co tu właściwie chodzi? No właśnie, o co tu chodzi? Owszem, nie powiem, był to całkiem zgrabny kawałek prozy, ale mówiąc szczerze, nie mamy do czynienia ze współczesną Katherine Mansfield czy Virginią Woolf.

– A gdybyście mieli, toby było w porządku?

Spojrzała na niego surowo.

– Dobre pytanie. Dennis Potter powiedział, że wszyscy pisarze mają krew na zębach.

– Kto to jest ten mężczyzna siedzący koło Nancy?

– To jest nasz alkoholik, który rzucił picie. Chce się nauczyć pisać, żeby móc ostrzegać innych przed demonem alkoholu. Tylko nie dopuść do tego, żeby sobie ciebie „wypożyczył". Opowie ci wszystko o czasach, kiedy był w szponach nałogu. A koło niego – Rowena jeszcze bardziej zniżyła głos, tak że poczuł na policzku jej oddech – nasze fanki: Esme, Leah i... nie pamiętam. Carrie. Są niesamowite, nie mogły się wprost doczekać tego wieczoru. Męskiego lwa literackiego. Są w porządku, może trochę teatralne. – Rowena najwyraźniej nie uważała, żeby to określenie mogło się do niej stosować. Następny to świecki kaznodzieja. Bóg jeden wie, co mu to daje. A potem, dalej, widzisz czterech bardzo przystojnych młodych mężczyzn, to sami geje, co z punktu widzenia Angusa jest bardzo korzystne, ale z punktu widzenia fanek – mniej. O, a ta piękna dziewczyna to Anya. Marnuje się w tym towarzystwie.

Tom skinął głową w lewo.

– A ta trójka?

Na twarzy Roweny malował się niesmak pomieszany z niedowierzaniem.

– Myślę, że oni po prostu chcą pisać.

Podczas posiłku wypito bardzo dużo wina i w kuchni wybuchła awantura między dwoma wybitnie przystojnymi młodymi mężczyznami. Twarz Lucy, najwyraźniej zdenerwowanej przed występem, niepokojąco poszarzała.

– Mam nadzieję, że ktoś pomyślał o ewentualnych skutkach ubocznych takiej ilości wina i fasoli – mruknęła Rowena, wparowując do salonu z kieliszkiem w ręce.

Usiadła w bujanym fotelu, w pewnej odległości od innych, z popielniczką u stóp. Tom zajął miejsce w końcu sofy, koło drugiego bujanego fotela, niewątpliwie przeznaczonego dla Lucy. Esme, Leah i Carrie usadowiły się na czerwonej sofie, naprzeciwko kominka. Świecki kaznodzieja, obejmując się mocno rękami, dzielił beżową sofę z trzema młodymi gejami. Czwarty, którego Tom spotkał w kuchni, siedział z rozszerzonymi źrenicami, z dala od przyjaciół, i wypuszczał dym nosem. Dwie siostry – jedna z wyraźnie zaczerwienionymi oczami, druga ziejąca wrogością – też trzymały się jak najdalej siebie nawzajem. Angus usiadł przy kominku, stawiając sobie koło nóg butelkę wina. Siedzący naprzeciwko niego alkoholik wpatrywał się w nią z czujnością psa myśliwskiego. Lucy, zasiadłszy w bujanym fotelu, dwukrotnie przełknęła ślinę. Angus nalał jej wina, chociaż zapewne stosowniejsza byłaby woda.

Lekko rozbawiony, rozejrzał się dokoła i zaczął przedstawiać gościa. Słysząc słowa pochwały, wypowiadane głosem tak modulowanym i ostentacyjnym, że trudno było uwierzyć w ich szczerość, Lucy zarumieniła się. Fanki, które oczekiwały literackiego lwa (męskiego), a musiały się obejść małym pręgowanym kotem (żeńskim), wcisnęły się głębiej w sofę, tworząc jedną, wielką, pełną smutku bryłę.

W pewnym momencie Lucy zaczęła czytać. Może i była świetną pisarką, ale trzeba by jej odebrać książkę i przeczytać samemu, żeby móc to ocenić. Czytała szybko, niespokojnym, monotonnym głosem, bez żadnego kontaktu wzrokowego ze słuchaczami, nawet po skończeniu pierwszego rozdziału. W ciągu piętnastu minut fanki zdążyły zasnąć, z odchylonymi do tyłu głowami, z otwartymi ustami, z rozrzuconymi na wszystkie strony rękami i nogami, jak rozmemłane boginie, czekające na werdykt patologicznie niezdecydowanego Parysa.

Siedzący na sofie, pochylony do przodu Tom sprawiał wrażenie człowieka, który słucha z zainteresowaniem. Stłumił beknięcie, spróbował pohamować śmiech, wbił sobie paznokcie w dłonie, zauważył trzęsące się boki swojej sąsiadki, a kiedy podniósł wzrok, dostrzegł już teraz wszędzie dokoła walkę pomiędzy dobrym wychowaniem, znudzeniem, nadęciem i masową histerią, szybko więc spuścił oczy. Teraz już hałas, stanowiący mieszaninę burczenia w brzuchu, beknięć i nieskrywanych pierdnięć, opuścił rejony muzyki kameralnej i wzniósł się na wyżyny muzyki symfonicznej, przez którą niestrudzenie przebijał się monotonny głos lektorki. Lucy ani razu nie podniosła wzroku, mimo że musiała być świadoma niosących się po całym pokoju tłumionych chichotów. Dlaczego w jakiś zręczny sposób nie zakończyła lektury? Dlaczego wybrała taki długi fragment? Tom kątem oka spojrzał na stronicę książki, zamajaczyło mu widmo następnego rozdziału i zrozumiał, że Lucy czyta, ponieważ boi się przerwać. Głośne chrapanie jednej ze śpiących królewien zbudziło pozostałe, które rozglądały się dokoła z wyrazem żywego zainteresowania. Tom doczekał do końca rozdziału i zaczął bić brawo. Wszyscy poszli w jego ślady, z radością przyjmując ten cenzuralny odgłos. Lucy nieśmiało spojrzała na swoich słuchaczy. Odczuwała wielką ulgę, że poszło znacznie lepiej, niż myślała.

– Dziękujemy – powiedział Angus. – To było niezapomniane przeżycie.

Potem nastąpiły pytania. Zdumiewająco liczne jak na tę sesję. Czy Lucy ma agenta? Czy posługuje się komputerem? Czy pisze codziennie? Czy przed rozpoczęciem pisania ma całą fabułę w głowie? O samo dzieło nie pytano, ale, szczerze mówiąc, niewiele też usłyszano. Aż wreszcie nadszedł upragniony koniec i wszyscy mogli zabrać się za trunki, szczególnie Lucy, która podczas obiadu sączyła wodę, za to teraz upiła się w rekordowym tempie.

– Pewnie myślisz, że mamy tutaj fioła, prawda? – powiedział Angus, podchodząc do Toma z butelką i kieliszkiem.

– Czy moglibyśmy teraz porozmawiać?

Angus rozejrzał się dokoła i zauważył, że niepijący alkoholik właśnie zmierza w ich kierunku.

– Bardzo proszę.

Pchnął drzwi patio i wyszli na trawnik, po czym ruszyli w dół, w stronę ogrodzenia, zostawiając ślady butów na zroszonej trawie.

– Będzie opowiadał wszystkim dokoła, jak się zesrał – powiedział Angus. – Jest w tym wszystkim coś odrażająco faryzejskiego. – Święty Sebastian i strzały, święta Katarzyna i koło, święty Terencjusz i zafajdane gacie.

– Pewnie uważa, że im bardziej się upokorzy, tym mniejsze prawdopodobieństwo, że znów zacznie pić.

– Ja bym pił, żeby zapomnieć o tym, co zrobiłem.

I choć Angus tak powiedział, nie był tak pijany, jak się Tomowi wydawało. Albo przyjął mniejsze tempo, niż to sugerowała zawartość butelki, albo miał nieprawdopodobnie mocną głowę.

Angus oparł ręce na ogrodzeniu.

– Czy sądzisz, że spowiedź jest jedyną drogą do zbawienia?

– Mam pokusę powiedzieć, że nie, chociaż nie widzę innej.

Angus wzruszył ramionami.

– Jeśli wierzysz w zbawienie.

– Ale ty przypuszczalnie wierzysz w siłę, która pozwala człowiekowi się zmienić?

– Przypuszczalnie.

– W każdym razie – powiedział Tom – myślałem, że jesteś za rozgrzebywaniem przeszłości?

– Owszem, jestem. Dla samego rozgrzebywania. Nie pochlebiam sobie na tyle, żeby uważać, że ma to jakiekolwiek terapeutyczne znaczenie. W gruncie rzeczy chce mi się rzygać na myśl o traktowaniu pisania jako zabiegu terapeutycznego. Konam ze śmiechu, kiedy słyszę o terapeutycznych właściwościach mówienia i o całym cholernym przemyśle, jaki wokół tego powstał, bo wiem, jak wątłe są dowody na to, że z gadania wynika coś dobrego.

– Jeśli masz na myśli pomoc psychologiczną, to istnieje aż za wiele dowodów na to, że jest ona, a przynajmniej może być, szkodliwa. Ogólnie rzecz biorąc, ludzie, którzy zaraz po traumatycznym przeżyciu uzyskują taką pomoc, gorzej sobie radzą niż ci, którzy z niej nie korzystają.

Angus spojrzał zdziwiony. Nie spodziewał się usłyszeć od Toma czegoś podobnego.

– Dlaczego? – spytał.

Tom wzruszył ramionami.

– Uważam, że w naturalny sposób przychodzi odrętwienie i wszystko, co w tym przeszkadza, jest... potencjalnie niebezpieczne. To odrętwienie oczywiście z czasem ustępuje.

– I wtedy jest czas na mówienie?

– To jeden ze sposobów dotarcia do prawdy.

– I dzięki temu człowiek czuje się lepiej?

– Nie, niekoniecznie – odparł Tom. – To jest cenne samo w sobie.

– Tak, myślę, że co do tego możemy się zgodzić.

Przynajmniej teoretycznie – pomyślał Tom, przypominając sobie zaczerwienione powieki jednej z sióstr i wypieki drugiej.

– Rozumiem, że nie mówimy o „tej prawdzie"? – powiedział Angus. – Mówimy o różnych, dość często niezgodnych ze sobą jej wersjach.

– Wydawało mi się, że mówimy o Dannym.

Chwila milczenia. Od strony doliny napłynął do nich odgłos gryzienia trawy przez owce, podczas gdy z tyłu, z oświetlonego pokoju, dochodziły do nich wybuchy śmiechu.

– Jak on się miewa?

– Całkiem nieźle. Ma tylko pewne kłopoty z przystosowaniem się.

– Od jak dawna jest na wolności?

– Mniej więcej od roku. Jest studentem. Studiuje angielski.

Angus zareagował czymś pomiędzy parsknięciem a śmiechem.

– Miał spory talent.

Z jakiegoś względu ta uwaga wywołała u Toma wrogą reakcję.

– Przypuszczam, że dalej go ma.

– Za chwilę oni się stamtąd wysypią – powiedział Angus. – Może odejdziemy jeszcze kawałek dalej?

Przeleźli przez mur i ruszyli zboczem wzgórza w dół, skrzypiąc butami w mokrej trawie. Owce podnosiły łby, kiedy je mijali, ale nie drgnęły z miejsca. Dochodziły stłumione głosy i śmiechy. Tom i Angus odwrócili się i spojrzeli za siebie. Biały dom, z oświetlonymi oknami, podkreślał jeszcze atmosferę osamotnienia tego zbocza.

– Czy on wie, że tu jesteś? – zapytał obcesowo Angus.

– Nie. Powiem mu, jak się zobaczymy następnym razem. Z grubsza zgodziliśmy się co do tego, że mogę się spotykać, z kim chcę.

– Dasz mu mój adres?

– Tylko jeśli sobie tego życzysz. Życzysz sobie?

– To jest właśnie pytanie.

Głos Angusa się zmienił. Już nie był tak świadomie modulowany, nasilił się szkocki akcent, a oddech stał się nierówny. Tego wszystkiego Tom nie zauważył, kiedy byli wewnątrz. Może Angus miał astmę i wieczorne powietrze wywołało duszność, a może cisza, obserwujące ich owce i przepaść białego światła wykreowały tę inną osobowość?

– Ale owszem, dlaczego nie? Może jest ciekaw, co mi zrobił?

– Co o n zrobił t o b i e?

– Tak. Może to zabrzmiało dziwnie. Bo ja miałem dwadzieścia parę lat, a on piętnaście. Oczywiście była to moja wina. – Angus uśmiechnął się. – Ale co to ma do rzeczy? Dużo wody upłynęło od tej pory.

– Chciałbym wiedzieć, co się stało.

– Po co?

Tomowi nasunęła się najbardziej oczywista odpowiedź typu: „bo to mi pomoże lepiej zrozumieć Danny'ego", ale zamiast tego powiedział:

– Bo znalazłem się dokładnie w twojej sytuacji i wydaje mi się, że jest to sytuacja bardzo niebezpieczna.

– To nie zostawaj z nim sam na sam.

– Muszę. Ale o to się nie martwię.

Angus skinął głową.

– Szczęściarz.

– Ale co się stało?

– Zakochałem się w nim. – Angus zamilkł. Z grymasem niesmaku kontemplował banalność tego stwierdzenia, jego całkowity brak warstwy ochronnej cynizmu czy autoironii. – Prawie zaraz po tym, jak go poznałem. Nie byłem zresztą jedyny, to przybierało różne formy. Nie twierdzę, że zawsze seksualne. Raczej nie. Ale Danny był odpowiedzialny za to, że cztery osoby – z tego, co wiem – musiały opuścić ośrodek. Ogólnie rzecz biorąc, dlatego że się nadmiernie angażowały albo były zazdrosne. A ja tę sytuację po prostu zaakceptowałem. Nie tylko sam fakt, że wszyscy byli tak intensywnie zajęci Dannym, ale i stwarzanie pozorów, że wcale tak nie jest. I że wszyscy chłopcy byli traktowani jednakowo. Akurat! – Angus wyprostował się, zaniepokojony swoim rozgoryczeniem. – Widziałeś się z Greene'em?

– Tak. I z panią Greene.

– Właśnie, z Elspeth.

– Czy Greene wiedział, co robiłeś z Dannym?

– W sensie seksualnym?

– Chodzi mi o pisanie.

– Nie, nie wiedział, ale gdyby wiedział, toby tego nie pochwalał. Zawsze nam mówiono, że nie musimy nic o nich wiedzieć, że ich przeszłość nie ma nic do rzeczy i że pochodzenie jest nieważne. A to wszystko byli chłopcy z bardzo mocno okaleczonymi życiorysami. Danny'ego wprawdzie wychowywali rodzice, ale stanowił w tym względzie wyjątek. Niektórzy z tych chłopców zmienili w ciągu jednego roku pięć czy sześć rodzin zastępczych. Oni... to znaczy niektórzy z nich nie mieli nawet zielonego pojęcia, kim są i skąd się wywodzą. A ja uważałem i w dalszym ciągu tak uważam, że to bardzo ważne, żeby takim dzieciakom pomóc skonstruować fabułę własnego życia. I nauczyć nazywać po imieniu emocje. W wielu wypadkach odnosiłem wrażenie, że żyją na pewnym poziomie napięcia, nie wiedząc nawet, czy to jest ból, znudzenie, samotność, rozpacz, złość czy zdumienie, ponieważ nie potrafili nazwać swoich uczuć. Wiedzieli tylko, że jest im z tym cholernie źle, i rozładowywali napięcia, na przykład dając komuś w łeb. Dlatego nie usprawiedliwiam się z tego, co robiłem. To było konieczne. Ale to nie była terapia. Tylko sposób na wyposażenie ich w coś, co my wszyscy uważamy za rzecz oczywistą.

– Lubiłeś Danny'ego?

– Poza tym, że byłem w nim zakochany? – Angus zastanawiał się przez chwilę. – Co tu było do lubienia? Miał nieprawdopodobny czar osobisty, był płytki i podatny na manipulację. W sposób trudny do uwierzenia. A kontrola była celem samym w sobie. Zamknął się całkowicie. Mieliśmy do czynienia z jakimiś dziesięcioma procentami Danny'ego. I nie tylko. On sam miał do czynienia zaledwie z dziesięcioma procentami siebie. A do tego odznaczał się bardzo błyskotliwą, chłodną inteligencją, no i talentem, co w tamtych warunkach – możesz mi wierzyć! – liczyło się na wagę złota. Dlatego to, że był taki „zamrożony", wydawało się... tragedią.

– I dlatego postanowiłeś go „rozmrozić"?

– Nie, to nieprawda. Danny sam decydował. Tematy, które mu zadawałem, były standardowymi tematami wypracowań z angielskiego. To on zdecydował się pójść w tym dalej. Owszem, mówiłem rzeczy w rodzaju: „Nie widzę u ciebie ludzi". Ale on to podchwycił. I coraz bardziej się do nich zbliżał, aż wreszcie usłyszałem ich oddech. No więc dobrze, owszem, to było niebezpieczne, ale nie zapominajmy, że to musiało się stać.

– Czy kiedykolwiek pomyślałeś, że powinieneś przestać?

– Tak. Ale on nie chciał.

– Czy kiedykolwiek powiedziałeś: „Zwolnijmy tempo"?

– Nie zdawałem sobie sprawy, jak blisko jesteśmy sedna. Musisz pamiętać, że nie wiedziałem nic o jego pochodzeniu. Opisywał na przykład jakiś incydent, a ja nie miałem pojęcia, czy to się stało na dzień, czy na rok przed morderstwem.

– Mogłeś zapytać.

– Ale to już byłyby naciski. A ja nigdy słowem o morderstwie nie wspomniałem.

– Czy opisał ci historię, jak to matka próbowała dać mu lanie pasem ojca?

– I wtedy on złapał ten pas i zaczął ją okładać? Tak.

– Czy napisał o Lizzie Parks?

– Tak, myślę, że incydent z pasem był bezpośrednią przyczyną. Następnego dnia miałem się z nim zobaczyć, ale on się nie pojawił. I jeszcze tej samej niedzieli wieczorem poszedł do Greene'a i powiedział, że ja go molestuję seksualnie. Greene posłał po mnie i ustalił, że spędziłem z Dannym iks godzin sam na sam, i tyle. Wyleciałem za to z pracy. Wyjechałem następnego dnia rano.

– Jak myślisz, dlaczego Danny poszedł do Greene'a?

– Bo się przestraszył. Nie mógł się już zatrzymać, wiedział, że powie mi o morderstwie, i ta myśl go przerażała. Bo on się tak naprawdę nigdy do tego nie przyznał.

– A czy nie sądzisz, że to może seks go przestraszył? Miał dopiero piętnaście lat.

– Nie.

– Skąd wiesz?

Angus obrócił się twarzą do Toma i w jego jasnych oczach pojawił się ognik rozbawienia.

— Powiem ci na temat seksu coś, co wyda ci się zapewne szokujące.

– Wątpię, ale mów.

– Nie było żadnego seksu. Nic się między nami nie wydarzyło.

Tom westchnął głęboko.

– To rzeczywiście szok.

– Po prostu straciłem głowę.

— Dlaczego nie domagałeś się dochodzenia?

— Przebywałem z nim sam na sam. A więc moje słowo przeciwko jego słowu.

163

– I sądzisz, że Greene by uwierzył jemu?

– Greene nie chciał skandalu. Byłoby to ze szkodą dla Danny'ego. Dla szkoły. Ze szkodą dla Greene'a. – Angus przerwał na chwilę. – Jak blisko jesteś morderstwa?

– Bardzo blisko.

Angus uśmiechnął się i ruszył z powrotem pod górę.

– Uważaj na siebie! – zawołał przez ramię.

Rozdzielili się przy drzwiach. Angus poszedł korytarzem, ze szklaneczką w jednej i butelką w drugiej ręce, nie oglądając się za siebie. Tom, nie mając ochoty przyłączyć się do towarzystwa, udał się na górę, gdzie miał spać, po raz pierwszy od dzieciństwa, na łóżku piętrowym. W pokoju zastał już świeckiego kaznodzieję, który klęczał przy łóżku i modlił się. Z czymś takim Tom się też wcześniej nie spotkał. Rozebrał się po cichu i na palcach poszedł do łazienki. Na korytarzu czekała już kobieta spowita w szlafrok w szkocką kratę, jedna z tych, które za wszelką cenę chciały pisać.

Tom spytał, czy jest zadowolona z kursu.

– Myślę, że tak – odparła. – Może niezupełnie tego oczekiwałam, ale Angus to wspaniały nauczyciel.

Tom dłuższy czas leżał w wąskim łóżku, nie śpiąc i słuchając chrapania niepijącego alkoholika. W pewnym momencie wszedł jeden z przystojnych młodych mężczyzn imieniem Malcolm, ten od mielonego mięsa, i rozebrał się w promieniach światła księżycowego. Kaznodzieja wstał z łóżka i od nowa zaczął się modlić. I tak pięć dni z rzędu – pomyślał Tom, przewracając się na drugi bok. On miał dość po jednym.

Musiał szybko zasnąć, bo kiedy usłyszał krzyki, był kompletnie zagubiony. Krzyczała cierpiąca kobieta albo dziecko. Tom próbował usiąść; inni też już nie spali.

– Czy to kobieta? – zapytał świecki kaznodzieja.

– Nie, to zwierzę – odparł niepijący alkoholik.

– To niemożliwe – rzekł Malcolm.

Wstał z łóżka i sięgnął po szlafrok. Tom i alkoholik, klapiąc bosymi stopami po zimnych płytkach, ruszyli za nim na dół – do salonu. A tam: puste butelki i przepełnione popielniczki, jednym słowem obraz spustoszenia. Ktoś spał na sofie.

– Czy myślicie, że alarm na drzwiach jest włączony? – zapytał Malcolm, mimo wszystko otwierając drzwi. Wyszedł na trawnik i ruszył w dół, a za nim Tom. Powietrze przeszył kolejny krzyk. Tomowi zjeżyły się włosy. W domu wykładowców zapaliły się światła. Na trawę wybiegła Rowena w białym negliżu. A potem Angus, owinięty w prześcieradło. Przystanęli, nasłuchując. W chwili kiedy zaczynali mieć nadzieję, że jest już po wszystkim, ciszę przeszył kolejny krzyk.

Rowena, której afektowany głos stał się nagle chłodny i czysty, oznajmiła:

– To królik. Głos królika naprawdę potrafi brzmieć bardzo po ludzku.

– Czy powinniśmy go dobić? – zapytał alkoholik.

– Nie, ten głos dochodzi z drugiej strony doliny – powiedział Angus. – Zanim byśmy tam dotarli, i tak byłby już martwy.

– Chryste.

– Słuchajcie – odezwał się Malcolm. – To zwierzę zginie, a my nic nie możemy na to poradzić. Wracam do łóżka. – I ruszył z powrotem w górę.

Bardzo zdrowe i sensowne zachowanie – pomyślał Tom. Ale nie do końca. Jeszcze godzinę temu były tu rozmowy, śmiechy, towarzystwo, światła, ciepło, wino, jedzenie, a te odgłosy jak gdyby to wszystko nagle zdmuchnęły. Każde z nich stało, dygocząc z zimna, skazane na samotność w swojej własnej skórze. Jakież to wszystko jest kruche – naszła go refleksja.

Nagle poczuł na ramieniu ciężką dłoń Angusa.

– Wracaj do łóżka – powiedział Angus, popychając go delikatnie w stronę domu. – Wkrótce pojawi się lis.

– Zobaczymy cię na śniadaniu? – zapytała Rowena.

– Nie, nie sądzę – odparł Tom, przebijając się przez kolejny krzyk. – Muszę wracać.

Rozdział siedemnasty

Tom zupełnie zapomniał, że w sprawie dojazdu na stację jest zależny od innych. Dopiero o dziesiątej znalazł się ktoś, kto go mógł odwieźć, ale pociąg się spóźnił i Tom nie zdążył na połączenie w Yorku. Chciał być w domu, kiedy przyjedzie Lauren, mimo że miała klucz i wiedział, że i tak by nie czekała na ulicy.

Był gdzieś między Durham a Newcastle, kiedy odezwała się jego komórka.

– Tom, to ty?

– Tak.

– Jestem w domu. Pamiętasz, że miałam dziś przyjechać po rzeczy? Powiedziałeś, że ci pasuje.

Po jej tonie poznał, że jest zaniepokojona.

– Czy coś się stało?

– Pamiętasz tego chłopaka, którego wtedy wyciągnąłeś z rzeki? On tu jest. Twierdzi, że byliście umówieni. Pomyślałam, że pewnie wyskoczyłeś do sklepu, więc go wpuściłam.

– U ciebie wszystko w porządku?

– Chyba tak.

– A co on robi?

– Przechadza się tam i z powrotem.

Zniżyła głos do szeptu, tak że ledwie ją słyszał. Musiała nie być zachwycona.

– Próbowałam z nim rozmawiać, ale bezskutecznie – usłyszał.

W całym wagonie ludzie wstawali i sięgali po bagaże. Jeszcze chwila i będą czekali w kolejce do wyjścia. Pociąg kończył tutaj bieg.

– Zostaw go w spokoju. Dojeżdżamy do Newcastle, za dwadzieścia minut będę w domu.

Żeby tylko udało mu się wysiąść pierwszemu. Żeby tylko nie było kolejki na postoju taksówek. Złapał torbę i ruszył do wyjścia, cały w nerwach, czekając, aż światło zmieni się na zielone. Następnie puścił się biegiem, lawirując między spieszącymi się ludźmi, żeby zdążyć przed innymi na postój.

A kiedy już się znalazł w taksówce, cały czas bębnił palcami po walizce, ignorując wysiłki taksówkarza, zmierzające do nawiązania rozmowy. Ruch okazał się niezbyt wielki i w ciągu piętnastu minut byli na miejscu.

Przed domem wcisnął taksówkarzowi garść drobnych, machnięciem ręki dając do zrozumienia, że nie chce reszty.

Wszedł tak cicho, jak tylko to było możliwe, i przez chwilę stał w przedpokoju, nasłuchując. Z kuchni dochodził szmer ściszonych głosów. U stóp schodów stały dwie walizki, jedna z nich otwarta, do połowy wypełniona różnymi drobnymi przedmiotami, popakowanymi w gazetę. Opartych o ścianę czekało kilka zawiniętych w szary papier obrazów. Przez otwarte drzwi zobaczył na ścianach salonu prostokąty-widma – pozostałość po wiszących tu kiedyś obrazach. Niektóre meble zostały wysunięte na środek. Poczuł ukłucie żalu za wspólnym życiem z Lauren, za jedną wspólną osobą, którą kiedyś tworzyli. I na ten wysoce osobisty dramat nałożyła się obecność Danny'ego, którego głos słyszał na dole. Aż do tej chwili nie zdawał sobie sprawy, jak niewielkie ma do niego zaufanie. Chociaż w tym niepokoju był jakiś irracjonalny element. Krzyk złapanego we wnyki królika tak długo pozostawał w jego świadomości, że nie mógł potem zasnąć.

Powoli zszedł na dół. Przez prześwity w balustradzie widział czarno-białe adidasy Danny'ego; nic więcej. Zaskrzypiała deska podłogowa i Tom usłyszał pełen ulgi głos Lauren:

– O, to na pewno Tom.

Wstała, kiedy wszedł do pokoju. Nigdy się nie dowie, jakby się przywitali, gdyby byli sami. Przeszła przez kuchnię i nadstawiła mu policzek do pocałowania. Na jej górnej wardze, tam gdzie wilgoć przebiła się przez makijaż, dostrzegł mikroskopijne kropelki potu, a unoszący się wokół niej pieprzowy zapach nie pochodził ani od dezodorantu, ani od perfum.

– Cześć, kochanie, przepraszam za spóźnienie – powiedział, po czym zwrócił się do Danny'ego. – Co za niespodzianka, Ian.

– Pewnie pomyliłem dzień.

Oferując Tomowi łatwe wyjście z trudnej sytuacji, Danny patrzył na niego błagalnie. Lauren stała tyłem do stołu, skrzyżowawszy na piersiach szczupłe ręce. Dolnymi zębami delikatnie przygryzała górną wargę. Tom miał uczucie, jakby ją widział pierwszy raz w życiu. Przeżywanie decydującego momentu swego życia wobec nieproszonej widowni było szczególnie irytujące. Danny trzymał na kolanach splecione dłonie z białymi kłykciami, które przypominały jakieś dziwne robaki.

– Nic nie szkodzi, skoro już jesteś... chociaż nie wiem, czy będę mógł ci poświęcić całą godzinę, ale kilka minut na pewno.

Zabrał Danny'ego do swojego gabinetu. Był świadom, że chłopak widzi na ścianach pozostałe po obrazach prostokąty, wysunięty na środek stół, puste miejsca na półkach i poprzewracane jedna na drugą, leżące w smętnych kupkach książki. Twarz Danny'ego nie wyrażała nic poza zakłopotaniem, a mimo to Tom miał poczucie, że została przekroczona jakaś granica. Danny znalazł się wewnątrz pewnego kręgu.

Być może do głosu Toma przedostała się nuta niepokoju, bo kiedy tylko usiedli, powiedział ostro:

– O co chodzi, Danny?

– Oglądałeś wiadomości?

– Nie, nie oglądałem. – Z całą pewnością nie był to właściwy moment, żeby wspomnieć o spotkaniu z Angusem. – A o co chodzi?

Danny wyjaśnił pokrótce. Dwaj chłopcy, jedenasto- i dwunastoletni, zostali oskarżeni o zamordowanie starej kobiety. W dwóch gazetach i w nocnych wiadomościach BBC ukazały się komentarze na temat tej historii. Co dzieje się z naszymi dziećmi?, itede. Ponieważ sprawa morderstwa pani Kelsey była akurat w sądzie i wobec tego nie podlegała publicznej debacie, dziennikarze dla zilustrowania swoich tez posłużyli się sprawą Danny'ego. A co więcej, wykorzystali jego szkolne zdjęcie.

– Na pewno chcą do tego wrócić – powiedział Danny głosem pełnym rozpaczy i strachu. Widział już w telewizji to wszystko, co przytrafiło się jemu: walenie pięściami w wóz policyjny, wykrzykiwanie gróźb, wrzawa rozgłosu i – żadnej ucieczki, żadnego schronienia.

– A co oni dokładnie zrobili?

Danny nie wiedział. Kiedy tylko zobaczył swoją fotografię, zgasił telewizor i położył się do łóżka, przekonany, że jego gospodyni zaraz zacznie łomotać do drzwi, żeby mu powiedzieć, że ma się natychmiast wynosić.

– Nie sądzę, żeby cię ktokolwiek rozpoznał na podstawie tego zdjęcia – powiedział Tom. – Ja bym cię na przykład nie rozpoznał.

– Ale niektórzy mogą mnie poznać – upierał się Danny. – Ja jestem taki sam jak ty, Tom. Pamiętam głosy i pamiętam sposób poruszania się ludzi, ale wiesz dobrze, że są tacy, którzy nigdy nie zapominają twarzy.

Tom poczuł się nieswojo. Był to niezwykle dokładny opis sposobu, w jaki działała jego pamięć, a przecież nie przypominał sobie żadnej rozmowy, w której on i Danny poruszaliby temat rozmaitych sposobów przypominania sobie przez ludzi przeszłości.

Również po raz pierwszy Danny zwrócił się do niego po imieniu. Moment nie wydawał się odpowiedni, żeby zaprotestować, a zresztą jeden czy dwóch dorosłych pacjentów też się tak do niego zwracało. Prawdopodobnie nie miało to większego znaczenia, a jednak odczuł to jako zgrzyt.

– Dzwoniłeś do Marty? – zapytał.

– Nie mogłem się dodzwonić. Stale próbuję.

– Zobaczę, może mnie się uda. Zadzwonię do mojej sekretarki.

Kiedy uzyskał połączenie, dowiedział się, że Marta była w Ośrodku Pomocy Rodzinie, ale właśnie stamtąd wyszła, mówiąc, że wyjeżdża. Nie powiedziała jednak, na jak długo. Tom próbował zadzwonić na jej komórkę, ale była wyłączona.

– Złapiemy ją – zwrócił się do Danny'ego. – Nie martw się.

– Zawsze wiedziałem, że nic z tego nie wyjdzie. Że za dużo ludzi na mnie dybie.

Tom zasiadł, żeby go wysłuchać, świadom, że gdzieś tam w tle Lauren ciągnie po podłodze jakiś mebel. Danny najbardziej się bał nie brutalności ani nawet nie tego, że zostanie zdemaskowana jego fałszywa tożsamość – choć były to lęki uzasadnione – tylko rozdrapywania wspomnień. Każda gazeta. Każde wydanie wiadomości. Kiedy jechał do Toma, słyszał, jak ludzie w metrze rozmawiali o zbrodni, i wydawało mu się, że padło nazwisko „Danny Miller". Tak bardzo go to wzburzyło, że na najbliższej stacji przesiadł się do drugiego wagonu.

– Nie wiem i nie chcę wiedzieć, co oni zrobili. I tak cały czas myślę o Lizzie. Na nic mi to nie jest potrzebne.

– Chcesz, żebyśmy zawiesili nasze sesje na kilka tygodni, dopóki sprawa nie przycichnie?

Nie, nie chciał. Wręcz przeciwnie. Chciał to wszystko raczej przyspieszyć.

– Muszę to z siebie wyrzucić teraz, zanim to zdąży zamącić wodę.

Tom dostrzegł w tym głęboki sens. Nie wierzył, że Danny będzie obojętnie przechodził obok kiosków z gazetami. Nie wierzył, że będzie gasił telewizor za każdą wzmianką o sprawie, a tak silne było jego pragnienie, by zrozumieć to, co zrobił, i tak potężne bariery, które go przed tym powstrzymywały, że bał się, by przedostające się do prasy szczegóły zbrodni nie zamąciły obrazu zabójstwa Lizzie, jaki zachował w pamięci.

Zadzwonił dzwonek i Lauren poszła otworzyć drzwi. Usłyszał dwa męskie głosy. Żałował, że nie może widzieć, co się dzieje.

– No więc dobrze – powiedział, wstając. – Jak na pewno zauważyłeś, nie ma tu w tej chwili warunków do rozmowy. Czy mógłbyś przyjść jeszcze raz wieczorem? Powiedzmy o siódmej?

Danny oblizał usta.

– Dobrze, przyjdę.

– Naprawdę nie masz się czego bać, Danny.

Potrząsnął głową.

– Nie widziałeś, jak walili w wóz policyjny. Do tych dwóch nie mogą się dobrać, ale do mnie mogą.

Tom wyprowadził go, po czym przez chwilę stał wsparty plecami o drzwi, zbierając siły. Lauren była w salonie; siedziała na poręczy jedynej pozostałej sofy. To siedzenie na grzędzie, to szykowanie się do odlotu zirytowało go. Dlaczego, na miłość boską, nie mogła usiąść?

Zaczął mówić:

– Jak myślisz, jak długo to potrwa? – Ale ugryzł się w język, przerażony towarzyszącym jego słowom pogłosem. Oczywiście usunięcie mebli i obrazów zmieniło akustykę pomieszczenia. Przypominało to rozmowę telefoniczną, kiedy ktoś przy drugim aparacie zapomniał odłożyć słuchawkę.

Odpowiedziała na niepełne pytanie.

– Niedługo. Jakieś pół godziny.

Jej głos też brzmiał inaczej. Tom zdał sobie sprawę z tego, że zapamięta tę rozmowę w kamerze akustycznej jako dźwięk swojego rozwodu. Dwoje ludzi, którzy się kiedyś kochali, wygłaszają banały w pustym pudle.

– Masz ochotę na drinka? – zapytał. Sam miał ochotę na drinka. Zawahała się.

– Owszem, dlaczego nie?

Odkorkował butelkę i przyszedł na górę z dwoma kieliszkami. Wszystkie te proste czynności tak były naładowane wspomnieniami, że czuł się jak kapłan celebrujący mszę. Próbował znaleźć jakiś sposób na to, żeby akt wręczania kieliszka czerwonego wina nie wypadł zbyt sakramentalnie, ale mu się to nie udało.

– No to cóż – powiedział, usiłując wyeliminować ze swojego głosu, znów bez powodzenia, nutę ironii. – Na zdrowie.

– Kto to jest ten chłopak? – spytała, odwracając się do niego tyłem i podchodząc do okna.

– Ian Wilkinson.

Robiła wrażenie zaskoczonej.

– Znam tę twarz.

– Oczywiście, że znasz. Spotkałaś go na nabrzeżu.

– Nie, jeszcze wcześniej.

Wzruszył ramionami, ale serce zaczęło mu bić szybciej. Obawy Danny'ego były uzasadnione. Lauren miała pamięć wzrokową, w znacznie silniejszym stopniu niż większość znanych mu osób, i widocznie coś w twarzy Danny'ego poruszyło jakąś strunę w jej pamięci. Ona go rozpozna na podstawie szkolnej fotografii.

171

A jeśli ona, to i inni.

Żeby odwrócić jej uwagę, powiedział:

– Wiesz, co w tym wszystkim jest najpotworniejsze? Że zaledwie kilka tygodni temu próbowaliśmy dorobić się dziecka.

– Tak, sporo o tym myślałam. Dzięki Bogu nic z tego nie wyszło.

To był dla niego, a może i dla niej, ten moment, kiedy się wszystko skończyło. Teraz byli sobie obcy, nawet nie na tyle bliscy, żeby odczuwać wobec siebie wrogość, teraz usiłowali jedynie jak najlepiej rozwiązać swoje sprawy finansowe.

– Będziesz chciał sprzedać dom? – spytała.

– Nie sądzę. Może wynajmę górę. Nie trzeba wiele, żeby zrobić z niej coś samodzielnego. Myślę, że prawnicy ocenią twój udział we wspólnym majątku.

– Nie chcę długiego szarpania się.

– Ani ja. Ale wszystko zależy od tego, czego oni będą chcieli.

Gadali przez jakieś pół godziny, ale coraz trudniej było im podtrzymać rozmowę. Temat, który Toma najbardziej interesował – czy Lauren kogoś ma – stał się tematem tabu. I mimo że to już nie była jego sprawa, nie przestawał o tym myśleć. Analizował twarz Lauren, dopatrując się w niej oznak spełnienia seksualnego, ale ona, jak zwykle elegancka, wydawała się chłodna i pełna dystansu.

Zastanawiał się, jakie to uczucie opuszczać dom po raz ostatni. Kiedy się wprowadzili, bardzo go lubiła. Miesiącami potrafiła malować rzekę we wszelkich możliwych rodzajach światła, a potem jak gdyby wyczerpała wszystko, co w niej znalazła. Potem – pomyślał – już tak bardzo nie lubiła domu. Nie tak dawno, pewnego deszczowego dnia, patrząc przez zaparowane okno na wezbraną rzekę, powiedziała, że równie dobrze mogliby mieszkać na łódce.

Kiedy wreszcie weszli mężczyźni od przeprowadzki i powiedzieli, że skończyli, przyjął to z wielką ulgą.

Lauren wstała natychmiast i powiedziała:

– Jak myślisz, Tom, czy możemy życzyć sobie szczęścia?

Złość mało go nie zadławiła. Odchodzisz – pomyślał – i chcesz, żebym ci życzył szczęścia? Po czym przytulił ją sztywno i poklepał po ramieniu. Był zdziwiony swoją reakcją. Lauren w jego objęciach wydawała mu się nie na miejscu. Mówiła mu to skóra jego piersi i ramion, tak że kiedy ją wreszcie po raz ostatni odprowadzał, zamykając za nią drzwi, poczuł, że to rozstanie było wynikiem i jego decyzji.

W kilka minut później, nalewając sobie kolejny kieliszek wina, stwierdził, że niewielka zmiana perspektywy wystarczyła, by mógł uznać tę decyzję za całkowicie swoją. Nikt mu nie bronił jechać z Lauren do Londynu i przesyłać e-mailem Marcie i Roddy'emu poszczególne rozdziały książki; przecież nie musiał się z nimi spotykać. Mógł się z nią kochać, może nawet zaszłaby w ciążę. Nie doszło do tego tylko z powodu niewytłumaczalnego buntu jego ciała, a zresztą, jaka by to była katastrofa... Przysiągł sobie, że już nigdy nie użyje określenia „kutas złamany". Było ono rażąco niesprawiedliwe. Bo tylko jego kutas, ze wszystkich części ciała, okazał odrobinę inteligencji.

Wszystko to było w pewnym sensie pocieszające. Fakt, że przestał widzieć siebie jako ofiarę Lauren, podniósł go na duchu. Zdecydowany zabrać się do pracy nad książką, poszedł do swojego gabinetu, ale stanął w drzwiach jak wryty. Na swoim krześle zobaczył – z pewnością nie zapomniany, tylko pozostawiony z rozmysłem – ostatni obraz Lauren, przedstawiający rzekę.

Nad wodą wisiało słońce, matowoczerwone, bez promieni i bez żaru, takie, jakie mogłoby być w ostatnich dniach planety. Poniżej coś w rodzaju abstrakcji – mieszanina szarości i brązów – a w prawym dolnym rogu, ledwie mieszcząca się w obrębie obrazu – ciemna postać: on, spoglądający na rzekę.

Rozdział osiemnasty

Przez cały czas rozmowy z Lauren miał świadomość irytującego pikania elektronicznej sekretarki. Kiedy ją odsłuchał, okazało się, że jest pięć próśb o telefoniczne wywiady na temat zamordowania Kelsey. Ilekroć bowiem prasa pisała o zbrodniach popełnianych przez dzieci, zawsze proszono go jako specjalistę o opinię. Wiedział, że nie uniknie udzielenia kilku wywiadów, ale w tej chwili nie miał zamiaru do nikogo oddzwaniać. Odejście Lauren było jeszcze zbyt świeże, a poza tym musiał sobie przygotować odpowiedzi na pytania o Danny'ego.

Osobą, z którą niewątpliwie musiał teraz porozmawiać, była Marta. Dodzwonił się za trzecim razem. Powiedziała, że przyjedzie, i wobec tego podszedł do okna, żeby jej tam oczekiwać. Na dole, w kuchni, znów odezwała się sekretarka. Większości słów nie mógł zrozumieć, ale wydawało mu się, że usłyszał imię Danny'ego. Kiedy wychylony przez poręcz słuchał głosu, wstrząsnął nim dreszcz złego przeczucia i po raz pierwszy zrozumiał, jak strasznie musi czuć się Danny.

Poryw wiatru uderzył w okno i fala deszczu zalała jezdnię. Patrzył, jak Marta parkuje samochód i biegnie w stronę domu. Wpadła, roześmiana, przeczesując palcami krótkie czarne włosy.

– Mam nadzieję, że jutro będzie lepiej – powiedziała, kiedy brał od niej płaszcz.

– Dlaczego jutro?

– Bo idę na ślub. Prawdę mówiąc, jestem pierwszą druhną. Nie będę ci mówiła, ile razy już byłam. W każdym razie znacznie więcej niż trzy.

Przeszli do salonu. Widział, że zauważyła puste miejsca na regałach.

– Oczywiście teraz żałuję, że idę. Chodzi o Iana – dodała, kiedy spojrzał pytająco. – O morderstwo.

– Masz prawo do życia osobistego.

– Tak. – Usiadła i roześmiała się. – Szkoda, że nie mam szczęścia.

Tom rozejrzał się po ogołoconym pokoju.

– Właśnie. Tak jak i ja.

Deszcz wzmógł się, zacinał teraz w okna, więżąc ich w domu. W pokoju zrobiło się ciemno, ale Tom nie chciał ostrego blasku światła elektrycznego. Twarz Marty była jasnym owalem. Usiadł naprzeciwko niej, powoli opuszczając się na krzesło. Właśnie, zauważył jeszcze i to: poruszał się teraz jak starszy człowiek – rano z trudem dźwigał się z łóżka, a wchodząc po schodach, trzymał się poręczy, jakby doznał urazu fizycznego.

– Jak widzisz – powiedział z westchnieniem – Lauren wyprowadziła się.

– Widzę. – Marta nie traciła czasu na słowa współczucia, za co był jej wdzięczny. – I do tego wszystkiego zwalił ci się jeszcze Danny, tak?

Po raz pierwszy użyła jego prawdziwego imienia.

– Tak. Nie powiem, żebym był zachwycony.

– Boi się.

– Czy myślisz, że wyolbrzymia zagrożenie?

W kuchni znów odezwała się sekretarka.

– Ścigają mnie – powiedział Tom, słuchając.

– I to jest chyba wystarczająca odpowiedź, nie uważasz?

– Do mnie zawsze będą dzwonili. Za każdym razem, kiedy poważną zbrodnię popełnia dziecko… – machnął ręką w stronę głosu.

– Jak ta?

– Nie, tym razem jest trochę gorzej. Nie będę oddzwaniał. Ale nie, masz rację, kiedy Danny wszedł do domu, coś się tu działo. Wiele rzeczy stąd zniknęło, więc zrobiło się pusto. Nie wiem, czy zauważyłaś – zmieniła się akustyka, głosy brzmią głucho i w środku tego wszystkiego jest Danny, a ja nagle pomyślałem, że tak być nie powinno. To znaczy, człowiek nie powinien mieć pustej przestrzeni w życiu, kiedy mu depcze po piętach ktoś taki jak Danny. On zawsze chce więcej. A ta pustka otwiera mu drogę.

– Mówisz o nim jak o jakimś wirusie.

Tom wzruszył ramionami.

– On jest niebezpieczny.

– Agresywny?

– Nie wiem. Prawdopodobnie nie.

– Prawdopodobnie nie?

– Tak. Prawdopodobnie. Ja nie wiem, ty nie wiesz, z pewnością nie wiedzieli ci, co decydowali o jego zwolnieniu warunkowym. Podejrzewam, że nie wie sam Danny.

Marta słuchała pilnie. Dziwne było to poczucie intymności w ciemniejącym pokoju.

– Jesteś pewien, że to sprawiedliwa ocena? – spytała. – Zastanawiam się, czy nie widzisz w nim zagrożenia, ponieważ... sam czujesz się zagrożony? Wiem, jak to jest, kiedy rozpada się związek... mój Boże, powinnam wiedzieć. Człowiek czuje się właśnie zagrożony.

– Uważasz, że to z mojej strony reakcja odwetowa?

– Absolutnie nie o to mi chodzi.

– Nie wiem, może i masz rację. Może tak jest. Czy wiedziałaś, że Danny w Long Garth oskarżył nauczyciela o molestowanie seksualne?

Marta była zaskoczona.

– Jesteś pewien? W dokumentach nic na ten temat nie ma.

– Dyrektor doszedł do wniosku, że publiczne dochodzenie nie leżałoby w niczyim interesie.

– Nauczycielowi uszło na sucho.

– Albo Danny'emu.

– Myślisz, że kłamał?

– Nie wiem. Nauczyciel złamał zasady, ale z Dannym wszyscy łamią zasady.

Marta robiła wrażenie zmartwionej.

– Chcesz machnąć na niego ręką?

– Nie, szczerze mówiąc, jeszcze dziś się go tu spodziewam. Pewnie sam siebie ostrzegam, że powinienem być ostrożny.

– Jak ci idzie?

– Za wcześnie, żebym mógł cokolwiek powiedzieć. Program Danny'ego jest coraz bardziej przejrzysty. Wszystkiemu, cokolwiek mówiłem o nim na procesie, systematycznie zaprzecza.

– Wiarygodnie?

Tom zawahał się.

– Przekonująco. Ale nie doszedł jeszcze do morderstwa, a dopiero wtedy rzeczywistość zacznie być naprawdę bolesna. I oczywiście ta druga sprawa może mu w tym przeszkodzić.

– To musi być cholerny szok – otworzyć gazetę i zobaczyć swoje zdjęcie. Po tylu latach.

– Zaproponowałem, żeby się wstrzymać, ale jemu zależy na pośpiechu.

– On się z tym musi uporać. Może nie mieć tak wiele czasu. Będą go poszukiwać.

– A mogą go znaleźć?

– Mogą znaleźć każdego. To zależy, do jakiego stopnia będzie im zależało. A poza tym to jest bardzo smakowita historia. Tam jest dwóch małych bandziorów – i co o nich wiemy? A tu mały bandzior, którego właśnie wypuścili. Czy przypadkiem nie jesteśmy zbyt łagodni dla morderców? Czy dożywocie nie powinno znaczyć dożywocia? To wszystko funta kłaków niewarte.

– Przygnębiające.

– No cóż... jednak żałuję, że jadę.

– Na ten ślub?

– Tak. Chociaż to nie jest tak daleko. To tylko York. – Marta przez jakiś czas milczała, pogrążona w rozmyślaniach. – Jak się zrobi źle, to trzeba go będzie gdzieś przenieść.

– Nie widzę żadnego sensu w zapewnianiu mu fałszywej tożsamości, skoro tak łatwo można ją zdemaskować.

– To po prostu pech. Coś takiego mogło się równie dobrze wydarzyć w dziesięć lat po jego wyjściu na wolność.

Tom zastanawiał się przez chwilę.

– A jeśli bomba pęknie, kiedy ciebie nie będzie?

– Ma numer mojej komórki. Oczywiście nie może być włączona bez przerwy, ale będę sprawdzała wiadomości. I ma jeszcze dwa inne telefony awaryjne, pod które może zadzwonić, ale tylko w przypadku, gdyby sprawy poszły naprawdę źle. W każdym razie Danny wie, kiedy może ich użyć. Nie powinno być problemu, ale jeśli nawet, to ty nie musisz zostać w to zamieszany.

– No więc dobrze. – Tom rozejrzał się dokoła. – Zastanawiam się, czy jest jeszcze coś.

– Omówiliśmy sprawę, Tom. Nie ma się co martwić na zapas.

– W porządku.

Spojrzała na zegarek.

– No, muszę się pospieszyć. Obiecałam, że zdążę na ostatnią przymiarkę.

– Jedziesz samochodem?

– Oczywiście. Może będę musiała wcześniej wracać.

Pożegnali się na progu. Marta, z obawy przed wiatrem i deszczem, postawiła kołnierz.

– Marto, pilnuj swoich priorytetów.

– Wiem, wiem. Mam się bawić.

– Nie, złap ten cholerny bukiet!

– O, widzę, że mimo wszystko jesteś rzecznikiem małżeństwa?

Tom uśmiechnął się.

– Aha.

Wspięła się na palce i pocałowała go w policzek.

– Cześć, do zobaczenia po moim powrocie.

Rozdział dziewiętnasty

Telefon dzwonił z przerwami przez całe popołudnie. Po odbyciu rozmów z matką i z sekretarką, którym wyjaśnił sytuację, nastawił automatyczną sekretarkę i zamknął drzwi do kuchni, żeby nie musieć wysłuchiwać kolejnych nagrań. Trzy godziny zajęło mu poustawianie mebli tak, żeby pokój nie wydawał się taki ogołocony. Stół i dwa krzesła przyniósł z gościnnego pokoju, a parę obrazów z poddasza. Następnie zdecydował, że jest dostatecznie zimno i deszczowo, żeby napalić w kominku. Węgiel był wilgotny i niemiłosiernie strzelał i kopcił, ale Tom nie dał za wygraną i w końcu się udało. Kiedy już wreszcie uznał, że odniósł pełny sukces, nalał sobie drinka. Pewnie powinien sobie zrobić coś do jedzenia, ale to by oznaczało konieczność pójścia do kuchni, a co za tym idzie do telefonu, więc wolał zrezygnować.

Przy płonącym ogniu i pozapalanych światłach pokój nie wydawał się aż tak opustoszały jak jeszcze kilka godzin temu. W dalszym ciągu panował głuchy pogłos, a otoczony meblami kominek trochę za bardzo kojarzył się z ogniskiem, ale rozglądając się dokoła, Tom poczuł dreszczyk podniecenia, łudząco podobny do strachu. Był wolny. Może powinien na parę dni wyjechać, żeby jakoś uporządkować swoje uczucia, ale jednocześnie miał przeciwstawne pragnienie, by na jakiś czas zniknąć po prostu dla świata i spróbować pozbierać strzępy swego życia. Na spokojnie. A tymczasem, nie dalej jak za godzinę, czekała go wizyta Danny'ego, przy którego problemach jego kłopoty wydawały się zwyczajnie błahe.

Nastawił wiadomości. Zamordowanie pani Kelsey podano jako drugą. Pokazano zbliżenia kwiatów, strzępiastych chryzantem, pozostawionych na miejscu zbrodni, i słowa „Kocham" napisanego niebieskim atramentem, który spływał po mokrej karcie. A potem zdjęcia białej furgonetki, gwałtownie przyspieszającej i ściganej przez rozwścieczony tłum.

Zadzwonił dzwonek. Danny. Tom szedł przez pusty dom, by wpuścić gościa, a jego kroki i nawet oddech brzmiały zupełnie inaczej w zmienionej przestrzeni.

– Dodzwoniłeś się do Marty? – zapytał Danny.

– Tak, była tu u mnie.

– Wiesz, że ona dziś wieczorem wyjeżdża?

– Wiem.

– Nie rozumiem, dlaczego nie mogła tego odwołać.

– Jedzie na ślub. Jest druhną.

– Powinna była się zorientować, co się szykuje.

– A jak miała to przewidzieć? Przecież chłopcom dopiero wczoraj postawiono zarzut. W każdym razie wejdź.

– Widziałeś wiadomości? – zapytał Danny, wchodząc za Tomem do gabinetu.

– Tak. Tym razem nie było o tobie żadnej wzmianki.

– Ale mają mnie na oku. Jestem przekonany, że za mną szli.

Danny zachowywał się niespokojnie – rozcierał ręce, kręcił się na krześle. Nie wiedział, czy jego przekonanie, że jest śledzony, to urojenie, czy nie. Mogło nie być.

– Ale, przy okazji – powiedział Tom, siadając – widziałem się z Angusem MacDonaldem.

Danny nie odezwał się słowem, po prostu gapił się na Toma.

– Prosił, żebym ci podał jego adres.

Nabazgrał adres Studium Pisarskiego Scarsdale na odwrocie koperty i wręczył Danny'emu, który spojrzał na adres i – w dalszym ciągu bez słowa – schował kopertę do kieszeni. Był zbyt przejęty, żeby zwrócić na to uwagę.

– Spróbujmy tym razem nie traktować sprawy z taką śmiertelną powagą.

Ale Danny już potrząsał głową.

– Nie, nie, teraz albo nigdy.

Mówiąc, sięgnął po papierosy. Tom wyczuwał w nim jakieś nowe napięcie, nowy cel. Znajome odgłosy – trzeszczenie krzesła, pykanie palnika gazowego; znajome zapachy – płyn do czyszczenia mebli, mokra wełna, dym, którym przesycone było ubranie i włosy Danny'ego; znajome widoki – krąg czerwonawego światła na biurku, palce lewej ręki Danny'ego skubiące naderwaną skórkę przy paznokciu.

– Lizzie – powiedział Danny.

– Nie spiesz się.

Tom usiadł i czekał, pozwalając, by cisza odtworzyła przestrzeń dokoła nich. Danny, postukując papierosem, planował – jak sobie wyobrażał Tom – najkrótszą drogę. Teraz, wieczorem, atmosfera była inna. Częściowo dlatego, że Danny został przyparty do muru: rozpaczliwie usiłował wyrzucić ze świadomości zagrożenie, jakie stanowiła ingerencja prasy, ale częściowo i dlatego, że niedawna rozmowa z Angusem obudziła w Tomie podejrzenie, że mógł kłamać. M ó g ł. Tom nie był w tej chwili pewien, któremu z nich wierzył. Angus miał swoje powody, żeby kłamać.

O dziwo, jak gdyby Danny czytał w jego myślach, zaczął mówić o Angusie.

– Kiedy byłem w Long Garth, wymyśliłem historię o bracie bliźniaku. Każdemu opowiadałem, że miałem brata bliźniaka, który umarł. Myślę, że to było... wiadomo, co to było, ale nikt nie powiedział: „Nie, to nieprawda, nie miałeś żadnego brata bliźniaka". Ponieważ przeszłość się nie liczyła. Angus był jedyną osobą, która powiedziała: „Nie, bardzo cię przepraszam, Danny. O żadnym bliźniaku nie ma mowy. Zawsze byłeś tylko ty". – Roześmiał się. – I to podziałało na mnie jak mocne szarpnięcie za smycz. Nagle pojawiło się coś takiego jak prawda obiektywna, której nie mogłem obejść. Bo on by mi nie pozwolił.

– Czy kiedykolwiek rozmawiałeś z Angusem o Lizzie? Nie chodzi mi o morderstwo...

– Pisałem. Nie rozmawiałem.

– Czy myślisz, że teraz mógłbyś spróbować?

Danny mocno zaciągnął się papierosem. Z rozdętymi nozdrzami wyglądał jak sportowiec, przymierzający się do skoku, którego nie zdoła wykonać.

181

– To była stara kobieta – zaczął w końcu z westchnieniem. – Wiem, że to brzmi głupio, kiedy nazywam ją Lizzie, jakby to był, rozumiesz, z mojej strony brak szacunku, ale wszyscy ją tak nazywali. Była znaną postacią. Zawsze ten sam płaszcz, ta sama torba na zakupy. Z powodu katarakty miała bardzo grube szkła. Matka zawsze zatrzymywała się, żeby z nią chwilę pogadać, i wtedy rzucała się w oczy charakterystyczna rzecz: kiedy ktoś mówił, Lizzie cały czas poruszała ustami. Jakby mówiła za tę osobę. Ktoś musiał jej zwrócić na to uwagę, bo się wyraźnie krępowała, przysłaniając ręką usta, jakby chciała te wargi unieruchomić. Miała bardzo wąską pomarszczoną górną wargę, sztuczne zęby, zbyt równe, ale żółte, starcze plamy na rękach, obrączkę i porozsadzane stawy palców. Pamiętam, że patrząc na tę obrączkę, zastanawiałem się, jak ona ją zdejmuje. Bo ta obrączka, bardzo luźna na palcu, była na nim przez rozsadzony staw uwięziona.

Tomowi przypomniało się zdjęcie lewej dłoni Lizzie, ze zbliżeniem na rany, zadane przez mordercę przy próbie zerwania obrączki.

– Miała wielkie źrenice, które nigdy nie zmieniały swoich rozmiarów, nigdy nie reagowały na światło. Często schylała się i pytała mnie o szkołę, a ja czułem wtedy jej oddech, który pachniał miętówkami. O, a torba rybami. Była to stara płócienna torba na sprawunki, która, dyndając na ręce Lizzie, uderzała ją po nodze.

– Jak myślałeś, ile Lizzie miała lat?

– Miała siedemdziesiąt osiem.

– Nie, chodzi mi o to, jak ty to wtedy oceniałeś.

– Och, że jest stara jak świat.

– Jakiego rodzaju była osobą?

– Samotna stara kobieta, wdowa, kochająca koty, z otwartym sercem dla wszelkiego rodzaju przybłęd, zawsze skłonna kogoś przygarnąć. Ale szczególnie opiekowała się kotami. Kiedyś z Paulem – to jeden z chłopaków, z którymi chodziłem do szkoły – bawiliśmy się kociakiem i Lizzie wybiegła i nas przepędziła. Uważała, że mu dokuczamy.

– A wy co – nie dokuczaliście?

– Nie. – Chwila milczenia. – Najkrócej mówiąc, nie wiem, jakiego rodzaju Lizzie była osobą. Określenie „samotna stara kobieta, kochająca koty" to stereotyp, prawda? Pod którym mogło się kryć dosłownie wszystko.

– Czy możemy teraz wrócić do dnia, w którym się to stało? Pamiętasz może, jak się tego dnia czułeś?

– Koszmarnie. To było dzień po tym, jak przyszedł pastor i matka próbowała mnie zlać pasem ojca. Uciekłem z domu i przebiegłem wiele kilometrów.

– A następnego dnia rano?

– Leżałem w łóżku. Ale ona nie powiedziała „Wstajesz?" ani nic w tym rodzaju. Wiedziałem, że wszystko się zmieniło. Że grunt usunął mi się spod nóg. Wstałem z łóżka, matki nie było wtedy w domu, i wyszedłem. Miałem takie uczucie, jakbym się unosił w powietrzu, a kiedy się z tego otrząsnąłem, stwierdziłem, że jestem w uliczce koło domu Lizzie, a sama Lizzie wychodzi właśnie ze swoją sławetną torbą po zakupy. Zacząłem ją obserwować. Nie wiem nawet, dlaczego to robiłem, w każdym razie ją obserwowałem. Dotarła do rogu ulicy, tam zawróciła, podeszła do drzwi domu, potrząsnęła za klamkę i dopiero wtedy wyruszyła po raz drugi. Przypuszczam, że już ją zawodziła pamięć. Kiedy przechodziła koło mnie, zamiast jej powiedzieć „Dzień dobry", cofnąłem się w głąb uliczki, tak żeby mnie nie widziała.

– Czy wiedziałeś wtedy, co zamierzasz zrobić?

– Tak. Wiedziałem, gdzie jest klucz. Po tym, jak zawróciła, żeby sprawdzić, czy drzwi są zamknięte, schowała zapasowy klucz pod doniczką za domem. Kiedy tylko zniknęła mi za rogiem, poszedłem tam, wziąłem klucz i zakradłem się do środka.

Nastąpiła dłuższa przerwa, ale nim Tom zdążył zapytać, co dalej, Danny podjął:

– Już wcześniej byłem w tym domu. Kiedyś, kiedy Lizzie poszła do szpitala na zdjęcie zaćmy, matka podjęła się karmienia jej kotów, więc chodziliśmy tam razem. Wszedłem do salonu i rozejrzałem się dokoła. Nie widziałem żadnych kotów. W pewnym momencie zauważyłem rudzielca, który siedział u szczytu schodów, ale uciekł, kiedy mnie zobaczył. Chodziły różne plotki na temat tego, ile Lizzie ma pieniędzy, i że na pewno gdzieś ukrywa kupę forsy. Kiedy byłem tam z matką, zaglądaliśmy do lodówki i widzieliśmy

183

filety z dorsza, ale matka mówiła, że to nie dla Lizzie, tylko dla kotów. Przypuszczam, że całą emeryturę musiała wydawać na koty. Na śniadanie jadała garść suchych płatków kukurydzianych, i to wszystko. Często, idąc do szkoły, widziałem, jak siedzi na schodkach i posila się tymi suchymi płatkami. A matka mówiła: „Ona nic więcej nie je. Jest niedożywiona". – Danny przerwał. – Była maleńką, kruchą staruszką. Dosłownie skóra i kości.

Wyglądało na to, że Danny się pogubił. Chociaż, pomyślał Tom, to szczegółowe odtworzenie wyglądu Lizzie też ma swoją wartość. Czekał przez chwilę, ale Danny nie przerywał milczenia.

– No więc jesteś w domu... – podpowiedział Tom – i co się dalej dzieje?

– Zacząłem szukać pieniędzy. Na kominku znalazłem trochę drobnych, dwa funciaki dla agenta ubezpieczeniowego, więc poszedłem na górę szukać w jej sypialni. Pachniało tam stęchlizną, a na toaletce leżał jakiś proszek brzoskwiniowego koloru. Roztarłem go między palcami i... – Danny robił wrażenie zdziwionego banalnością i pustką własnych wspomnień. – Po prostu stałem, patrzyłem w lustro, ale twarz, którą tam widziałem, jakby nie należała do mnie.

W jego głosie przebijała ledwie uchwytna pisliwa dziecięca nuta, z każdą chwilą coraz wyrazistsza. Danny wydawał ten dźwięk bez odrobiny wysiłku, bez cienia fałszu, całkowicie nieświadomie. Tom poczuł na karku lekkie mrowienie.

– Nie wiem, dlaczego wróciła, bo przecież już sprawdziła, czy zamknęła drzwi. Może tym razem chciała sprawdzić, czy zakręciła gaz. W każdym razie usłyszałem zgrzyt klucza w drzwiach i weszła Lizzie. Zacząłem się rozglądać za jakimś miejscem, w którym mógłbym się ukryć, ale... – oczy Danny'ego zaczęły się zamykać – ale zamiast łóżka był tapczan, pod który nie mogłem wejść, więc postanowiłem schować się w szafie. Odsunąłem ubrania, wlazłem do środka i zamknąłem drzwi. Było tam bardzo ciemno i śmierdziało gałkami przeciwmolowymi i futrem. Siedząc z twarzą wciśniętą w futro, zauważyłem nagle, że coś mi dotyka do policzka. Był to nos lisa – prawdziwego lisa ze szklanymi oczami i dyndającymi łapami.

Danny miał włosy mokre od potu.

– Danny, to się nie dzieje teraz – powiedział Tom.

Otworzył oczy z wielkimi źrenicami, które dosłownie pożerały ciemność.

– Wiem, że nie. Odepchnąłem od siebie lisa i wtedy szafa się zakołysała i uderzyła o ścianę. Nie podchodź, nie podchodź – modliłem się, ale przecież musiała usłyszeć hałas. Drzwi do salonu otwierają się – otworzyły się – i wiem, że Lizzie stoi u podnóża schodów i nasłuchuje. Jestem bardzo cicho. Nie mogę oddychać, mam futro w nosie i, rozumiesz, nie mogę... nie mogę, no, muszę odetchnąć, więc wyłażę z szafy, a ona wchodzi po schodach. To ja uciekam – uciekłem na podest, nie, nie słyszała, nie spojrzała. Widzę z góry jej przedziałek, różową kreskę, i wiem, że jeszcze parę sekund i Lizzie spojrzy i mnie zobaczy. Muszę się wydostać z domu, więc zbiegam – pierwsze cztery stopnie i następny podest – i wtedy... wtedy mnie zobaczyła. Nie wycofała się, tylko powiedziała: „Co ty tu robisz, gówniarzu?" Musiałem ją wyminąć, więc się złapałem poręczy i kopnąłem ją w pierś, a ona poleciała do tyłu, wolno, bardzo wolno, ale przecież i tak by się nie uratowała, prawda? Nie, nie, to nie było wolno.

Wpatrywał się w Toma, jakby odpowiedź na to pytanie mogła wszystko zmienić.

– A potem patrzę: Lizzie leży u stóp schodów, czerwona na twarzy, bo nogi ma w górze, częściowo na schodach, i cała krew odpłynęła jej do głowy. Oczy ma zamknięte – dwie białe szparki – a ja... ja nie wiem, co myślałem. Chyba już nic nie myślałem. Ja...

– Danny – powtórzył Tom – to się nie dzieje w tej chwili.

Danny szeroko otworzył oczy, jak ktoś, kto się obudził z długiego snu, i kilka razy zamrugał powiekami.

– Chcesz przerwać? – zapytał Tom.

Danny westchnął głęboko. Kiedy znów przemówił, jego głos był silniejszy, ale po chwili znów pojawiła się w nim piskliwa nuta.

– Nie. No więc gapię się na nią i widzę, że jeden but spadł jej z nogi i leży koło twarzy. Lizzie nie rusza się, patrzę prosto w jej dziurki od nosa i próbuję przejść koło niej tak, żeby jej nie dotknąć.

– A ona jest nieprzytomna?

– Tak, tak sądzę. – Danny robił wrażenie oszołomionego. – Bałem się, że kiedy będę koło niej przechodził, może mnie złapać, ale nie złapała.

– Co się stało potem?

– Klękam koło niej i kładę jej poduszkę...

– A skąd wziąłeś poduszkę?

Puste spojrzenie.

– Z salonu. To musiało wystarczyć, prawda? Poszedłem do salonu i przyniosłem poduszkę, położyłem ją na twarzy Lizzie i przydusiłem...

– Wiesz chociaż, dlaczego to zrobiłeś?

Danny zbladł.

– Nie chciałem widzieć jej oczu. Nie chciałem, żeby na mnie patrzyła.

– Przecież mogłeś sobie iść.

Milczenie.

– Bałeś się, bo wiedziałeś, że Lizzie powie twojej matce, tak?

Wsadził kciuk do ust i pod pretekstem obgryzania paznokcia zaczął go ssać.

– Tak sądzę.

– Co czułeś, kiedy to zrobiłeś? Pamiętasz?

– Spokój. Idealny spokój, żadnego zgiełku. Po prostu cisza.

– Czy był taki moment, w którym pomyślałeś, że trzeba przestać?

– Nie.

– Nie byłeś przestraszony ani zły?

– Nie. Byłem przestraszony, ale później, nie wtedy. Uniosłem poduszkę i zobaczyłem, że Lizzie zwymiotowała. Pamiętam nawet, że się rzucała, ale myślałem, że to dlatego, że chciała się wyrwać, więc przyciskałem mocniej, ale to pewnie nie było to, prawda? Ona musiała...

Tom czekał i czekał, aż wreszcie słowo samo wyskoczyło z ust Danny'ego, nieprawdopodobne jak ropucha.

– Umierać...

– A co wtedy czułeś?

– Nic. Zmęczenie.

– Kiedy zacząłeś... kiedy do ciebie dotarło, co zrobiłeś?

– Nie wiem. Nie wiem, czy w ogóle do mnie dotarło. Byłem oszołomiony.

– Przestraszony?

– Pewnie. Nie wiem. Nie wiem, czy ja tylko myślę, że musiałem być przestraszony, i dlatego... nie wiem. Wiem, że teraz dosłownie robię w gacie ze strachu.

Danny śmierdział potem. Tom zaczął się zastanawiać, jak daleko może się jeszcze posunąć. Musiał jakoś wypośrodkować pomiędzy naciskami Danny'ego, żeby się z tym jak najprędzej uporać, a świadomością, że najgorsze mają jeszcze przed sobą.

– I co zrobiłeś potem?

– Pojechałem do miasta i grałem w „Najeźdźców z kosmosu".

– Za pieniądze z ubezpieczenia?

– Tak.

– Czy zdajesz sobie sprawę, jak oceniali to inni ludzie?

– Aha. Pieprzony psychopatyczny sukinsyn ma to wszystko w d... Trzeba go załatwić. – Danny potrząsnął głową. – Ale to wcale nie było tak.

– A jak się czułeś?

– Jak kurczak z odciętą głową.

– I potem wróciłeś do domu, tak?

– Tak. Napiłem się herbaty i zwymiotowałem. I bardzo dobrze, bo matka uznała, że jestem chory, więc mogłem iść wcześnie do łóżka i ukryć się pod kołdrą. Cały czas migały mi przed oczami obrazy, widziałem twarz Lizzie i słyszałem, jak wchodzi po schodach, tylko że tym razem to były moje schody. To znów Lizzie wykonywała jak gdyby wielki skok przez cały pokój i lądowała prosto na mojej twarzy. Z tego wszystkiego zlałem się w łóżko, a potem cały czas kłułem się ostro zakończonym ołówkiem ze strachu, żeby nie zasnąć. Rano byłem przekonany, że już wszyscy wiedzą, że to jakoś wyciekło, ale było normalnie, nikt nie wiedział.

– I potem tam wróciłeś – powiedział beznamiętnie Tom, zdziwiony, że tak brutalnie sprowadza Danny'ego na ziemię.

– Tak – odparł Danny na wydechu.

– Dlaczego? Skoro byłeś tak przerażony, że kłułeś się ołówkiem, żeby nie zasnąć...?

– Chciałem zobaczyć, czy ona jest w dalszym ciągu martwa.

Chwila milczenia. Tom rozpatrywał różne opcje, jakie się otworzyły. Wybrał prawdę.

– Nie, Danny, tego nie mogę przyjąć. Wiedziałeś, że ona nie żyje.

– Miałem dziesięć lat.

Tym razem nie było żadnej piskliwej nuty, tylko twardy, gniewny dorosły głos.

– Tak – powiedział Tom spokojnie. – To możliwe, wielu dziesięciolatków nie rozumie śmierci. Nie rozumieją, że jest to stan permanentny. Ale myślę, że ty rozumiałeś.

– Nie chcesz przyznać, że się myliłeś.

– W czym się myliłem?

– Myliłeś się, mówiąc sądowi, że wiedziałem, co robię. Stałeś może kiedyś przed szkołą podstawową i patrzyłeś, jak wychodzą dzieciaki? Ci najwięksi, ci „twardziele"? To bardzo kruche stworzenia. I ja taki właśnie byłem.

– Wiem. Pamiętam. Ale w dalszym ciągu twierdzę, że zdawałeś sobie sprawę z tego, że śmierć jest stanem permanentnym.

Danny ryknął śmiechem.

– Z powodu pieprzonych kurczaków?

– Z powodu tego, że mieszkałeś na farmie. Że przy tobie zdychały zwierzęta, że brałeś udział w ich zabijaniu, że umarł twój dziadek i bardzo dobrze wiedziałeś, że nie ożył, że bałeś się, kiedy twoja matka poszła do szpitala na amputację drugiej piersi. Bo spodziewałeś się, że umrze, i nie miałeś wątpliwości, że to nie będzie krótka, jednodniowa nieobecność. Bałeś się, że ją stracisz. Na zawsze..

Danny powiedział z rozmysłem:

– Kiedy po raz drugi poszedłem do Lizzie, jakąś częścią świadomości myślałem, że jej tam już nie będzie.

Tom skinął głową.

– Mów dalej.

– Ale ona tam w dalszym ciągu leżała. Zmieniła się, skóra jej ściemniała, a wszędzie dokoła miauczały koty.

– Co zrobiłeś?

– Nakarmiłem je.

Aż do tej chwili Tom jak gdyby zawiesił swoją znajomość dowodów kryminalistycznych i słuchał opowieści Danny'ego, jakby była jedynym źródłem jego informacji. Ale nagle usłyszał w podświadomości chór stłumionych głosów. Trzynaście lat temu wszyscy mówili o karmieniu kotów tonem, który jeszcze potęgował atmosferę horroru: „A potem nakarmił koty".

– Dlaczego?

– Bo były głodne.

Kodeks moralny Danny'ego obejmował zwierzęta domowe – pomyślał Tom – tak jak kodeks jego ojca.

– No więc nakarmiłeś koty. I co potem?

– Nic.

– Pamiętasz, co się stało?

– Nic się nie stało. Nakarmiłem koty i poszedłem do domu.

– Byłeś tam przez pięć godzin. Widziano cię, jak wchodziłeś i jak wychodziłeś.

Dla policji i dla wszystkich, którzy w jakikolwiek sposób zostali w tę sprawę zaangażowani, te pięć godzin było jądrem ciemności, przyczyną wyrazu najwyższego niesmaku na ich twarzach, który Tom tak dobrze zapamiętał z procesu. Nigel Lewis, pokazując mu zdjęcia widocznych na dywanie śladów ciągnięcia Lizzie po podłodze, powiedział: „On się nią bawił". Zgroza w jego głosie jeszcze w trzynaście lat później podnosiła Tomowi włosy na głowie.

– Przemieszczałeś ją, Danny.

– Nawet jej nie dotknąłem.

– Owszem, dotknąłeś. Posłuchaj, jeśli nie chcesz o tym mówić, to nie mów, być może są rzeczy, których nie powinieneś albo nie możesz powiedzieć. Ale nie ma sensu kłamać. Szkoda tego wszystkiego, przez co przeszedłeś, żeby znaleźć się w tym miejscu.

Nastąpiła dłuższa chwila milczenia. Nie było słychać żadnego dźwięku, poza ich oddechem, który nagle wydał się bardzo głośny.

– Nie mam nic w tej sprawie do powiedzenia – odezwał się wreszcie Danny. – Ludzie mówią: pięć godzin. W porządku, muszę w to uwierzyć, ale z tego, co ja zapamiętałem, nie byłem tam dłużej jak z dziesięć minut. Spojrzałem na nią, nakarmiłem koty, upewniłem się, że drzwi są otwarte, żeby kotka mogła wchodzić i wychodzić, i wróciłem do domu. Wiem, co myślała policja. Policja myślała, że ją molestowałem. Mimo że nie było na to żadnych dowodów, mimo że miałem tylko dziesięć lat. – Danny nachylił się. – Ale ja nie byłem molestowany seksualnie. Nie miałem w ogóle tej świadomości. Nie miałem nawet popędu płciowego, na miłość boską. A do tego jeszcze Lizzie miała siedemdziesiąt osiem lat!

– I była martwa.

– I była martwa.

– Jak wyglądała? Spróbuj sobie wyobrazić, że na nią patrzysz. Co myślisz?

– Że jest jak lalka, że nie może nic zrobić. Nie może mnie skrzywdzić, nie może krzyczeć, nic. To głupio bać się jej. I ta cała historia z wchodzeniem przez Lizzie po schodach...

– Po twoich schodach?

– Tak, to bzdura. Ona się nawet nie może ruszyć.

Cisza. Danny robi wrażenie, jakby się przywlókł z bardzo daleka.

– Mówisz, że przeszedłem przez to wszystko niepotrzebnie. No bo rzeczywiście niepotrzebnie. Nie wiem, dlaczego ją zabiłem. Nie wiedziałem wtedy i nie wiem teraz. I nie wiem, jak z tym dalej żyć.

Na tym przerwali. Danny zaczął bełkotać. Tom zrobił mu filiżankę kawy i przez dwadzieścia minut próbował go uspokoić. Danny bał się wracać do domu. Na progu odwrócił się jeszcze i powiedział:

– Wiem, że mi nie wierzysz, ale mnie naprawdę śledzą.

Tom był świadom, niemal telepatycznie, każdego kolejnego etapu jego powrotu do domu. Oczyma duszy widział, jak kołysząc się w tył i w przód w metrze, pustym wzrokiem patrzy na ogłoszenia naprzeciwko, podczas gdy przed oczami przelatują mu szare ściany, ubrane w girlandy kabli. Pociąg zatrzymuje się między pokrytymi graffiti ścianami. Danny wysiada, wpycha bilet do kołowrotka, który wypluwa go w deszczową, wietrzną noc, i idzie mokrymi ulicami w smugach pomarańczowych świateł, podnosząc kołnierz kurtki przed zimnem, a potem, już poza zasięgiem świateł i tłumu, maszeruje dalej ciemnymi ulicami, gdzie wznoszą się nad nim imponujące kiedyś domy, aż wreszcie schodzi w dół po kilku stopniach, do mieszkania w suterenie, wyjmuje klucz i otwiera drzwi. I dopiero tam, w obskurnym korytarzu, wyłożonym czarno-białymi płytkami i oświetlonym gołą żarówką, Tom traci go z oczu.

Rozdział dwudziesty

W związku z zamordowaniem pani Kelsey Tom udzielił jednego wywiadu dla prasy. Dziennikarka, wychodząc, zapytała go od niechcenia o związki z Dannym Millerem, a kiedy Tom zajrzał w jej otwartą torbę, zobaczył palące się dalej czerwone światełko niewyłączonego magnetofonu. Uśmiechnął się i powiedział, że nic nie wie o jego aktualnym miejscu pobytu.

Piątkowy wieczór i większość soboty spędził u matki. Była zasmucona rozpadem jego małżeństwa, ale nie zdziwiona. Nie powiedziała: „A nie mówiłam?" Nie zdradziła się z tym, że nigdy nie lubiła i nie ufała Lauren. Niby zachowanie matki było bez zarzutu, ale Tom z przyjemnością ją pożegnał.

Po powrocie doznał dziwnego uczucia, jak zwykle, kiedy spędzał noc w rodzinnym domu – wydawało mu się, że dorosłe życie jak gdyby uległo zawieszeniu. Wszystko go tam denerwowało. Pojedyncze łóżko, tak wąskie, że obudził się w środku nocy z ręką zawieszoną w powietrzu, koślawy zagłówek, wzory zasłon i dywanu, które w jakiś tajemniczy sposób wchłonęły poty i koszmary jego dziecinnych gorączek, a teraz je wydychały, kiedy nie mogąc zasnąć, rzucał się i wiercił na łóżku.

Mimo nieprzespanej nocy był pobudzony i pełen energii. Może dlatego, że zgodził się późnym wieczorem wziąć udział w dyskusji telewizyjnej. W pierwszej chwili chciał odmówić. Ale ostatecznie uczestniczenie w publicznych debatach poświęconych problemom młodocianych przestępców wchodziło w zakres jego obowiązków zawodowych.

Odsłuchał sekretarkę elektroniczną, notując ważniejsze rzeczy, a następnie na jakąś godzinę zasiadł przed telewizorem. Miał ochotę na mały jogging dla uspokojenia, ale pogoda, cały dzień parna i wilgotna, była bliska załamania. Przez okno wykuszowe widział ciemne chmury, wiszące nad dachami domów jak pełna wody płachta, chociaż jeszcze w tej chwili nie było deszczu, tylko gorąca, lepka duszność. A potem – błyskawica i pierwsze krople na szybach. Właśnie miał nalać sobie drinka, kiedy zadzwonił telefon.

– Tu mówi Danny – odezwał się w słuchawce szept.

Tom otworzył usta, żeby odpowiedzieć, ale nagle jakaś fałszywa nuta, którą pochwycił w tym głosie, powstrzymała go, milczał więc dalej, świadom, że osoba po drugiej stronie słyszy jego oddech. Dyszenie w słuchawkę na odwrót – pomyślał. Cholernie śmieszne. Minuta, dwie minuty i ktoś delikatnie odłożył słuchawkę.

Sprawdzają go. Dzięki Bogu miał dość zdrowego rozsądku, żeby się nie odezwać. Zasunął zasłony, rozpalił w kominku, ułożył polana. Miło przyjść do mieszkania, w którym buzuje ogień. Kiedy wracał do pustego domu, najbardziej brak mu było Lauren, chociaż sytuacja taka trwała już od roku i powinien był przywyknąć. W każdym razie z ogniem czuł się lepiej.

Szła druga część thrillera i Tom już dawno pogubił się w fabule, ogień się wypalił, a on siedział z wypiekami na odrętwiałej z gorąca twarzy i słuchał jęków wiatru. Gdzieś huknęła brama. Prawdopodobnie mieszkający po sąsiedzku studenci zostawili ją otwartą. Wstał, żeby sprawdzić. Odsunąwszy zasłonę, zobaczył to, co na pierwszy rzut oka wydało mu się jego własną twarzą odbitą w szybie, dopóki nagły ruch nie rozwiał tej iluzji. Blada twarz, proste, mokre włosy, zniekształcone przez strumyki deszczu.

Przez chwilę patrzyli na siebie, po czym intruz odwrócił się i uciekł lśniącą od deszczu drogą. Do czasu, kiedy Tom podszedł do drzwi, zdążył zniknąć. Może powinien zadzwonić na policję, tylko że nie było czasu. Za dwadzieścia minut musi wyjść do studia telewizyjnego. Lepiej sprawdzi, czy tylne drzwi i okna są dobrze pozamykane. To mógł być jakiś podglądacz albo włamywacz szukający pustego domu. Nie było najmniejszego powodu, żeby ten epizod kojarzyć z Dannym.

Zanim wyszedł, upewnił się jeszcze, że alarm przeciwwłamaniowy jest włączony, i rozejrzał się po ulicy, która była tak samo pusta jak zwykle o tej nocnej porze.

Tom nie lubił dyskusji w studiu. Pocąc się w świetle lamp, musiał pamiętać o tym, jak ma siedzieć, i całkowicie poddać się kamerom, które w służbie agresywnego dziennikarstwa najeżdżały na nozdrza i uszy dyskutantów, rzekomo dla dobra debaty, która nagle utknęła na złych skutkach bezmyślnych gier komputerowych. Jeden z dwunastolatków oskarżonych o zamordowanie pani Kelsey był uzależniony od takich właśnie gier, a przynajmniej tak pisały gazety, razem z kilkoma tysiącami innych chłopaków, którzy nigdy nikogo nie zabili. Później przenieśli się do Pokoju Zielonego, gdzie przy ciepłym białym winie wywiązała się znacznie ciekawsza i bardziej szczera dyskusja. Tomowi zaproponowano pomoc w zmyciu makijażu, ale ponieważ prosto ze studia wracał samochodem do domu, postanowił dać sobie z tym spokój. Opuszczając studio, miał poczucie, że dyskusja nie wniosła nic nowego – w każdym razie nie ta jej część przed kamerami – i że on, Tom, w tym samym stopniu jest temu winien jak ktokolwiek inny.

Jakżeż rozpaczliwie ludzie domagali się wyjaśnienia – jakiegokolwiek wyjaśnienia, byle prostego – i jak bardzo było o nie trudno. Nie, nie trudno, to było niemożliwe. Przypomniał sobie, jak to kiedyś z Lauren zaangażowali się w wystawienie *W kleszczach lęku* Brittena w wykonaniu lokalnej grupy operowej. Poproszono Lauren o zaprojektowanie dekoracji – zadanie, które idealnie odpowiadało jej talentom. Wielkie rozświetlone tła, przedstawiające niebo i ujście rzeki, wieżę, jezioro, drzewa zagajnika z nagimi gałęziami, wśród których tkwiły czarne gniazda jak skrzepy krwi w żyłach. Zmusili go, żeby został asystentem producenta, i podczas prób słyszał każdą nutę partytury i każde słowo libretta piętnaście razy czy więcej, chociaż została mu w pamięci tylko piosenka Milesa, mnemotechnicznie zapamiętana łacińska rymowanka.

Malo: Już chyba wolę
Malo: łazić po stole
Malo: niż – brzydki chłopiec –
Malo: grać inną rolę

Ze względów oczywistych w operze nie było żadnych zwierząt. W powieści też nie, mimo że żyjące na wsi dzieci powinny być otoczone zwierzętami. Ale zwierzęta wszystko by zdradziły. Czy dzieci rzeczywiście są złe? Czy może guwernantka zwariowała? Każdy w miarę sensowny weterynarz rozwiązałby problem w przeciągu kilku sekund. Dzieci z zaburzeniami emocjonalnymi znęcają się nad zwierzętami.

Danny tego nie robił. To odkrycie uderzyło Toma już na samym początku. Wszystkie te zaniedbane, wykorzystywane, krzywdzone, martwe czy zdychające zwierzęta... ale Danny nie był wobec żadnego z nich okrutny. A przynajmniej tak mówił. Ale jego wersja – chociaż Tom wierzył, że nie kłamie, w każdym razie w przeważającej mierze – niecałkowicie pokrywała się z prawdą. Jego pozornie przypadkowe wypady w przeszłość nawet w najmniejszym stopniu nie były przypadkowe. Danny świadomie i bardzo systematycznie dążył do obalenia świadectwa, jakie Tom wystawił mu w sądzie. Było w tym niemało wrogości. Więcej niż Tom sobie na początku wyobrażał.

Droga powrotna do domu zajęła mu dziesięć minut i dodatkowe pięć znalezienie miejsca do zaparkowania samochodu – w jednej z bocznych uliczek jakieś kilkaset metrów od drzwi frontowych. Ulica była opustoszała, a lampy przypominały rząd pomarańczowych kwiatów kwitnących w kałużach. Tom szybko ruszył w kierunku głównej ulicy, a jego kroki odzywały się echem wśród pustych magazynów, które wznosiły się w nocne niebo, wysokie i czarne, rozsiewając dokoła widmowe zapachy przechowywanych tu niegdyś towarów – ostre, słodkie, kwaśne. Kiedy skręcił za róg, zobaczył koło swojego domu samotną postać, która najpierw zaczęła się do niego zbliżać, a następnie zawróciła, weszła po stopniach i zniknęła w cieniu ganku.

Tom przyspieszył kroku.

– Danny – powiedział, kiedy był już na tyle blisko, że nie musiał podnosić głosu. – Co ty tu robisz, na miłość boską?

– Ktoś mnie śledzi.

Robił wrażenie obłąkanego, mówił chaotycznie, pocił się, ale jego strach był z całą pewnością autentyczny. Tom czuł w powietrzu zapach tego strachu.

– Lepiej wejdź – powiedział, otwierając drzwi frontowe i szybko wyłączając alarm antywłamaniowy. Szedł przodem, prowadząc Danny'ego do salonu i nie zawracając sobie nawet głowy zapalaniem światła w przedpokoju.

– Czy mógłbyś zaciągnąć zasłony? – poprosił Danny, stojąc w drzwiach.

Tom upewnił się, że szale zasłon zachodzą na siebie, tak że nie przepuszczą nawet najcieńszego promyka światła, i podszedł do stolika z drinkami. Normalnie nie częstował swoich klientów alkoholem, ale nie była to normalna sesja, a sam bardzo potrzebował drinka. Po dyskusji telewizyjnej czuł się podniecony, nadmiernie gadatliwy, umysłowo nadęty i głęboko nieufny wobec siebie. Rozmowy w mediach wywołują ten sam stan rozkojarzenia i niepokoju co ostre nocne picie. Dotknął ręką twarzy i palce ześlizgnęły mu się po tłustej warstwie makijażu i potu, podobnej do szybko rozpadającej się maski. A do tego jeszcze ta dziwna sytuacja, wywołana obecnością Danny'ego: siedział podniecony i przestraszony w na pół ogołoconym, dźwięczącym echem salonie z uczuciem, że jest północ, do której jednak, jak Tom sprawdził na zegarku, brakowało jeszcze dwudziestu minut.

– Whisky? – zapytał Tom.

Danny padł na fotel, przygnębiony. Podniósł wzrok i powiedział:

– Tak, proszę.

Tom wręczył mu pełną szklankę i usiadł po przeciwnej stronie kominka. Ogień prawie się wypalił i Tom spędził kilka minut, wtykając niewielkie bryłki węgla w nisze tlącego się żaru. Domowa scena – pomyślał, rozglądając się po ścianach, które teraz, kiedy skaczące cienie przysłaniały prostokąty pozostałe po zdjętych przez Lauren obrazach, wydawały się już nie tak gołe jak w dzień.

– No więc, co się dzieje?

– Śledzą mnie. – W głosie Danny'ego brzmiała natarczywa nuta, jakby się spodziewał, że Tom mu nie uwierzy. – Pracowałem w bibliotece, a kiedy wyszedłem, na końcu ulicy zauważyłem mężczyznę. Był w dalszym ciągu na Grey Street, a potem wsiadł do tego samego metra co ja. Siedział w rogu wagonu.

– Poznałeś go?

– Nie.

– Czy nie uważasz, że ten człowiek po prostu przypadkiem jechał tak jak ty?

Danny z uporem potrząsnął głową.

– I co, wysiadł na tej samej stacji?

– Nie czekałem, żeby się przekonać. Wysiadłem wcześniej. Wyczekałem do ostatniej sekundy, a potem rzuciłem się do drzwi, przebiegłem mostkiem na drugą stronę i wskoczyłem do pociągu jadącego w stronę miasta.

– Myślisz, że go zgubiłeś?

– Nie wiem.

– Jak sądzisz, kto to był?

– Reporter. Albo ktoś, kto chce mi sprawić łomot, nie wiem. Boję się wracać do siebie.

– Zadzwonię do Marty – powiedział Tom.

Odezwała się elektroniczna sekretarka, więc zostawił wiadomość. Przypomniał sobie o ślubie i zatelefonował jeszcze raz – na komórkę, gdzie zostawił kolejną wiadomość.

– Czy jest jeszcze ktoś, do kogo moglibyśmy zadzwonić?

– Chyba nie.

– Marta powiedziała, że masz kilka numerów, pod które możesz dzwonić.

– Tak, ale mam je w domu.

Tyle o zapewnieniu Marty, że wszystko omówili.

– A co z policją?

– Nie. Jeszcze nie. Oni nie wiedzą. Wie tylko komendant. A zresztą, co miałbym im powiedzieć? Że ktoś za mną łazi? Nie, lepiej poczekajmy na Martę. Jest pewnie na weselu.

Tom ponownie nalał sobie i Danny'emu po solidnej porcji whisky i dołożył do ognia polano. Teraz rozpaliło się na dobre.

– Szkoda, że nie nagrywaliśmy naszych sesji – powiedział. – Mógłbyś spalić taśmy.

– To tani chwyt. Wiesz równie dobrze jak i ja, że nie można sprawy tak zostawić. A zresztą musiałbym spalić i ciebie.

– Czy mogę cię o coś spytać? Czy ten skok do rzeki to był przypadek?

– Jakieś sto metrów od twojego domu? Nie, oczywiście, że nie był to przypadek. Chodziłem za tobą od wielu dni.

– Dlaczego?

Danny wzruszył ramionami.

– Chciałem porozmawiać. I za każdym razem kiedy nie zadzwoniłem do drzwi, ogarniała mnie coraz większa depresja i złość – nie na ciebie, na siebie samego. To nie było... – przerwał i spróbował jeszcze raz. – To nie był jakiś wielki spisek. Ja nie myślałem: Och, jeśli skoczę do rzeki, a on mnie będzie ratował, to obaj utoniemy i dobrze mu tak. Nie, tak nie myślałem. Chciałem po prostu pozbyć się tego bólu.

Tom był zdziwiony ruchami Danny'ego, które stanowiły dziwną mieszaninę podniecenia i paraliżu. Nie drgał – jego ruchy nie były takie gwałtowne – tylko wodził wzrokiem po pokoju, spoglądał przez ramię, patrzył w jedną i w drugą stronę. Jego spojrzenia i gesty wykazywały znacznie silniejsze zaburzenia niż mowa.

– Na co patrzysz, Danny?

– Na nic.

Nie sposób było złapać z nim kontakt wzrokowy, a potem, w bardzo denerwujący sposób, Danny skupił spojrzenie na czymś, co było za i trochę na prawo od głowy Toma.

– Czy kiedykolwiek ją widzisz? – zapytał Tom łagodnie.

– Nie, jestem nie dość szybki.

– Chcesz powiedzieć, że była tu, ale...

– Nigdy nie mogę na nią trafić.

– Czy kiedykolwiek coś mówi?

– Nie.

– To skąd wiesz, że ona jest?

– Bo zostawia różne rzeczy.

– Jak na przykład co?

– Jak włosy. Zawsze w łazience jest kłębek włosów.

Tom miał wrażenie, że był w tej chwili najbliższy zrozumienia stanu ducha Danny'ego podczas tych brakujących pięciu godzin, które chłopak spędził sam na sam z trupem Lizzie.

– Co ty jej robiłeś, Danny?

Danny mówił teraz bełkotliwie.

– Zmuszałem ją do robienia różnych rzeczy.

– Jakich rzeczy?

– No, rzeczy.

Tomowi znów stanęły przed oczami zdjęcia: obrażenia na kostkach, na przegubach rąk Lizzie, w górnej części klatki piersiowej, zadane – jak stwierdził lekarz medycyny sądowej – już po śmierci. On się nią bawił.

W tej chwili czy może w ogóle nie było sensu dalej go naciskać. Naciskanie Danny'ego mogłoby postawić go w sytuacji ekstremalnej.

Cisza. Powieki Danny'ego robiły wrażenie spuchniętych, wyglądał, jakby miał zaraz zasnąć, mimo to powiedział:

– Czy wierzysz w zło?

Całkowicie sensowne pytanie. Znacznie łatwiejsze niż stawianie czoła kłębkom włosów w łazience. Tom, który miał głowę pełną różnych pomysłów na skontaktowanie się z Martą – czy Mike Freeman może wiedzieć, gdzie ona się zatrzymała? – odpowiedział niemal z roztargnieniem:

– W sensie metafizycznym? Nie, nie wierzę. Ale ze złem jako określeniem pewnych zachowań nie mam problemów. To jest właśnie słowo, którego zgodziliśmy się używać, opisując pewien rodzaj ludzkich działań. I nie sądzę, żeby to była alternatywa wobec innych sposobów opisywania tych samych rzeczy. Nie ma logicznych powodów, dla których „szalony" i „zły" miałyby być alternatywami.

– A co do ludzi? Czy myślisz, że ludzie mogą być źli?

– Myślę, że jeśli czyjeś całe życie polega na dopuszczaniu się złych czynów, to tak. Ale jeśli masz na myśli siebie... Zabicie Lizzie było złym czynem, ale nie sądzę, żebyś ty był zły, kiedy tego czynu dokonywałeś, i z całą pewnością nie uważam, że jesteś zły teraz.

– Jest coś, czego nigdy nikomu nie powiedziałem. To znaczy, owszem, tobie kiedyś powiedziałem, ale pewnie tego nawet nie zauważyłeś. Pamiętasz, jak ci mówiłem, że ukryłem się w szafie? Otóż panowały w niej egipskie ciemności. Nie przenikał tam nawet najmniejszy promyk światła. – Danny mówił szeptem. – Ale ja zobaczyłem lisa.

Tom powiedział ostrożnie:

– Pamięć płata nam najróżniejsze figle, Danny. Ty wiesz, co tam było. Widziałeś to, kiedy otworzyłeś drzwi, a potem czułeś to w ciemności i zapamiętałeś dotyk jako widok.

– Tak, bardzo możliwe.

Danny nie sprawiał wrażenia przekonanego i Tom z ulgą odwrócił wzrok, szukając numerów telefonów. Odszukał numer Mike'a Freemana, ale było już dobrze po północy, a nie znajdował pretekstu, pod jakim miałby dzwonić o tej porze. Lepiej było pościelić Danny'emu na sofie i dalej już rano borykać się z problemem.

Odłożył książkę telefoniczną.

– Wiesz co, proponuję, żebyśmy poszli spać. Marta już teraz nie zadzwoni, a tobie należy się odpoczynek.

– Nie będę spał.

– Dobrze, ale przynajmniej się połóż. Przyniosę jakieś proszki.

Na górze, w łazience, wyjmując z szafki czystą bieliznę pościelową, Tom zobaczył w lustrze swoją twarz i przeżył szok. Pot, spływający makijaż, wory pod oczami – niezbyt przyjemny widok. Niezbędne mu były prysznic i łóżko. O Boże, proszę, łóżko. Przypływ adrenaliny, wywołany debatą telewizyjną, ustąpił i Tom, wlokąc za sobą poduszki i prześcieradła, dosłownie dygotał.

Danny nawet się nie ruszył.

– Chcesz coś na sen? – zapytał Tom.

– Nie, lepiej nie. Staram się odzwyczaić od proszków nasennych.

Tom przygotował mu posłanie na sofie i poszedł do kuchni po szklankę wody.

Danny tymczasem zgasił lampę i kiedy Tom wrócił, leżał pod kołdrą w świetle kominka. Jego ramię, połowa twarzy i szyi były jakby wyryte w rozedrganym złocie. Biedny Angus – pomyślał Tom, patrząc na niego – nie miał szans.

– Dobranoc – powiedział, zamierzając zamknąć drzwi. – Nie martw się, mam w pokoju telefon, usłyszę, gdyby zadzwoniła Marta.

Rozdział dwudziesty pierwszy

Tom leżał w ciemności, zbyt zmęczony, żeby myśleć, zbyt zmęczony, żeby nie myśleć. Odczuwał fizyczne symptomy strachu, co go zdziwiło, bo nie było nic takiego, czego powinien się bać. Obawiał się o stan ducha Danny'ego, ale to była inna sprawa. Myślenie o tym w tej chwili nie miało najmniejszego sensu. Przytomnie przewrócił się więc na drugi bok i wkrótce potem zasnął.

Jednakże Tom z jego snu nie był taki posłuszny. Znajdował się na miejscu rozbiórki i stał przy ognisku, a jakiś mężczyzna, którego nie poznawał, szedł w jego kierunku z przeciwnej strony ogniska – ciemna sylwetka drgająca w rozgrzanym powietrzu. Mężczyzna, w dalszym ciągu pozbawiony twarzy, podszedł do ogniska i zaczął wrzucać do niego taśmy. Nie kasety, tylko same taśmy, całe ich masy, brązowe, lśniące zwoje, które leżały na gorących polanach, nie kurcząc się w wybuchach płomieni – jak, nawet we śnie, powinny – tylko wijąc się w przedłużonej agonii.

Obudził się zlany potem. Przejechał wierzchem dłoni po szyi, przekonany, że czuje zapach spalenizny, choć już w sekundę później wiedział, że jest to wywołana snem iluzja. I właśnie wtedy, w chwili kiedy przewracał się na drugi bok, ponownie próbując zasnąć, usłyszał na dole, jak Danny wlecze po podłodze coś ciężkiego.

W kontekście ich ostatniej sesji był to najbardziej przerażający odgłos, jaki mógł usłyszeć – o n   s i ę   n i ą   b a w i ł.

Złapał szlafrok i zszedł na podest schodów. W migotliwym świetle, wydobywającym się spod drzwi salonu, chodnik w przedpokoju jarzył się pomarańczowym blaskiem. Skąd aż tyle światła? Zbiegł na dół, przytomnie sprawdził, czy klamka nie jest zbyt gorąca, i wtargnął do pokoju.

Ogień buzował wysoko, systematycznie podsycany. Danny przeciągnął kosz z drewnem na dywanik przed kominkiem i klęcząc obok, z polanem w ręce, obserwował ogień. Tom podszedł do niego i wtedy zobaczył coś, co do tej pory było zasłonięte przez koszyk. A mianowicie płonące polano, które wypadło na dywanik. Bez chwili zastanowienia schylił się, złapał polano i wrzucił do ognia. W sekundę później, zgięty wpół nad swoją poparzoną ręką, dreptał po nadpalonym dywaniku obutymi w kapcie nogami. Dywanik się nie zajął i Tom wiedział, że już się nie zajmie. Żeby się jednak dodatkowo zabezpieczyć, przyniósł dzbanek z wodą i polał ciemną plamę. Po pokoju rozszedł się nieprzyjemny zapach przypalonej wełny. Tom próbował się wyprostować, ale ból był tak dotkliwy, że zgiął się z powrotem. Jakby był zdyszany, a nie poparzony.

– W co ty się, do cholery, zabawiasz? – zapytał.

Danny podniósł na niego wzrok lunatyka.

– Musiałem się zdrzemnąć…

Klęcząc na podłodze, z dwoma polanami w rękach, tak? – chciał powiedzieć Tom, ale się powstrzymał.

Gapili się na siebie w milczeniu.

– Tu jest koszmarnie gorąco – powiedział wreszcie Tom, starając się zachować obojętny ton. – Chyba nie należy podkładać już więcej drzewa do ognia.

Rozgiął Danny'emu palce i odłożył polana z powrotem do koszyka.

– Czy moglibyśmy odsunąć krzesła? – Mów wolno i łagodnie. Nie wywieraj na niego presji. Starał się zapewnić Danny'emu maksymalny luz. Ale krzesła należało usunąć. W pokoju unosił się zapach przypalonego materiału – inny niż swąd tlącego się wełnianego dywanika – i był to zapach starych krzeseł. Obojętnie, co stanowiło wypełnienie ich siedzeń, z pewnością nie był to materiał ognioodporny.

Wreszcie, kiedy meble zostały przesunięte na swoje pierwotne miejsca, pokój przestał przypominać ognisko czekające tylko na podpalenie. Danny siedział w końcu sofy, z dłońmi między kolanami, i w dalszym ciągu patrzył w ogień. Nawet nie kiwnął palcem, żeby pomóc Tomowi z meblami. Robił wrażenie, jakby był nie całkiem świadom jego obecności.

Tom otworzył okno i na pół odwrócony do Danny'ego, wychylił się, chłonąc chłodne powietrze. Gdzieś tam niewidoczna, choć w odległości zaledwie kilkuset metrów od gorącego kominka ze skaczącymi płomieniami, płynęła rzeka – wzdłuż przegniłych nabrzeży i rozpadających się stopni – do morza.

W pokoju zrobiło się teraz chłodniej. Siedzący w fotelu Tom zaczął mówić powoli, spokojnie. Słowa nie miały znaczenia. Początkowo jak gdyby nic do Danny'ego nie docierało, ale stopniowo półprzytomny, senny wyraz zniknął z jego twarzy. W pewnym momencie odchrząknął, jakby chciał coś powiedzieć, ale z jego ust nie wydobył się żaden dźwięk.

– Dlaczego się nie położysz? – zapytał w końcu Tom. – Nawet jeśli nie możesz zasnąć, to i tak warto odpocząć.

Do Danny'ego najwyraźniej dotarło, co do niego mówi Tom, bo się wyciągnął na sofie. Tom miał ochotę zalać ogień i zasypać drzewo popiołem, ale jeszcze w tej chwili bał się ryzykować. Nieruchomy wzrok Danny'ego był nadal wbity w płomienie.

Tom zdążył przystawić do swojego krzesła podnóżek, kiedy ktoś zadzwonił do drzwi. Kto, na miłość boską, o drugiej w nocy...? Oczywiście mogła to być tylko jedna osoba.

– Marta! – powiedział, nie ukrywając ulgi, i pobiegł ją wpuścić. Kiedy otworzył drzwi, natrafił na ścianę kamer. Oślepiły go błyskawice fleszy. Otoczyły – mgławica rąk, kliknięcia, terkoty, pytania i głosy, wykrzykujące jego imię. Nad głową Toma dyndał, jak martwe zwierzę, mikrofon. Zatrzasnął drzwi, zanim pierwsza stopa pojawiła się w szczelinie, i zamknął je na łańcuch.

Danny podszedł do drzwi salonu.

– Schowaj się do środka – powiedział Tom. – Sprawdzę, jak jest z tyłu.

Zbiegł na dół, do kuchni, czując się w oświetlonym pomieszczeniu wystawiony na niebezpieczeństwo. Ale drzwi okazały się zamknięte i na ile mógł zobaczyć, przytykając policzek do zimnej szyby, nie było nikogo ani w ogrodzie, ani na ścieżce nad rzeką. Zaciągnął zasłony i przez chwilę stał z zamkniętymi oczami. Obecność kamer nim wstrząsnęła. Te bzyczenia i kliknięcia przypominały odgłos pocierania skrzydełek chrząszcza jedno o drugie. I te obiektywy. Czuł się, jakby go otoczyła chmara owadów. Prędzej by uwierzył, że to rój jadowitych pszczół niż że to ludzkie istoty.

Zadzwonił telefon. Tom złapał za słuchawkę, przekonany, że tym razem to już musi być Marta, ale zamiast niej usłyszał nieznajomego mężczyznę, przekonujący, przymilny głos, który prosił Toma, żeby podszedł do drzwi i udzielił wywiadu. Bez słowa odłożył słuchawkę. Telefon natychmiast zadzwonił ponownie. Ze względu na Martę nie mógł go wyłączyć. Powoli wrócił na górę, czując, że po raz pierwszy w życiu rozumie, co to znaczy być ściganym. Mimo bólu ręki usiłował zachować spokój i myśleć jasno. Nie mógł przyjąć, że dziennikarze wiedzieli, że Danny jest u niego. Niewątpliwie to podejrzewali, w przeciwnym razie nie byłoby ich pod jego domem, ale mogli też n i e   w i e d z i e ć. A on – dopóki nie będzie miał pewności, że tożsamość Danny'ego jako Iana Wilkinsona została rozszyfrowana – nie może zrobić nic, żeby ją narazić. Koniecznie musi porozmawiać z Martą.

Kiedy wrócił do salonu, Danny stał przy kominku.

– Ilu ich jest?

– Dziesięciu, piętnastu? Nie wiem.

Danny uśmiechnął się.

– Nie sądzę, żeby Ian Wilkinson miał przed sobą długie życie, a ty, jak myślisz?

– Chyba rzeczywiście nie ma.

Danny wzruszył ramionami.

– To nieważne. Ja i tak nie przepadałem za tym facetem.

Robił wrażenie, jakby powoli wracał do normy. Tom zastanawiał się, co z tego wszystkiego – jeśli w ogóle cokolwiek – zapamiętał.

– Zrobię kawę – powiedział.

Zadzwonił telefon. Popatrzyli po sobie, czekając, aż się odezwie sekretarka.

Słysząc głos Marty, Tom natychmiast złapał za słuchawkę i zaczął od wyjaśnień.

– Dlaczego nie zadzwonisz na policję? – zapytała. – Nie ma sensu w tej chwili czegokolwiek ukrywać w związku z Dannym. Ci fotoreporterzy muszą powodować utrudnienia, a nawet jeśli tak nie jest, to możesz powiedzieć, że powodują. – Robiła wrażenie całkowicie spokojnej. – Będę najprędzej, jak tylko się da.

– Za ile?

– Za dwadzieścia minut.

Odłożyła słuchawkę, a Tom miał uczucie, że zareagował histerycznie. Zadzwonił na policję i wyjaśnił sytuację zaspanemu sierżantowi dyżurnemu, który przystąpił do wygłaszania przez telefon długiego oświadczenia. Tom przerwał mu i odłożył słuchawkę bez wielkiej nadziei, że policja podejmie jakiekolwiek kroki.

– Wkrótce tu będą.

A potem, ponieważ uczucie, że jest szczurem schwytanym w pułapkę, stało się nie do zniesienia, poszedł w drugi koniec pokoju i odsunął zasłonę. Początkowo nie wywołało to żadnej reakcji, po czym nastąpiła kolejna eksplozja fleszy. Co tu było mówić o histerycznej reakcji! Fotoreporterzy sforsowali już ogrodzenie i napierali obiektywami na szyby. Spojrzał na Danny'ego, który przeszedł za nim w drugi koniec salonu.

– No cóż – powiedział Tom, siląc się na wesołość – przynajmniej nie są to koktajle Mołotowa.

Danny zrobił się blady jak ściana.

– Będą, zanim ci skończą. – Pochwycił wyraz twarzy Toma. – Jestem wystarczająco znienawidzony.

W jakieś piętnaście minut później pojawiła się Marta, waląc pięściami w drzwi i wykrzykując swoje imię. Niemal wpadła do przedpokoju, po czym pomogła Tomowi zamknąć za sobą drzwi. Nigdy zapach papierosów i silnych miętówek nie był tak mile widziany.

– Co to wszystko ma znaczyć, Danny? – zapytała.

Głos Danny'ego osiągnął szczyty młodzieńczej pisкliwości.

– To nie moja wina. Byłem śledzony. Przyszedłem tutaj, bo nie chciałem ich naprowadzić na swój dom.

– Powiedziałeś komuś?

– Nie.

Marta rzuciła torebkę.

– Ktoś to musiał zrobić.

– Nie sądzisz, że oni to sobie wydedukowali? – zapytał Tom.

– Nie. Nie parkowaliby tu tylko na wypadek, gdyby... Oni w i e d z ą.

– Nie ma znaczenia, skąd się dowiedzieli – powiedział Danny. – Ważne, że są.

– Owszem, ma znaczenie, jak cholera. Czy zdajesz sobie sprawę z tego, ile pracy kosztowało wyposażenie cię w nową tożsamość? – zwróciła mu uwagę.

Nie chce go stracić – pomyślał Tom. A wie, że musi.

– Zadzwoniłeś na policję? – zapytała.

– Tak. I powiedziałem im o Dannym. Powinni być już w drodze.

Następne dwadzieścia minut przypominało pożegnanie na peronie. Stan zawieszenia, w którym nie można powiedzieć ani zrobić nic istotnego, bo jest już za późno, ale ta druga osoba jeszcze nie odjechała, i w którym z jednej strony nie możemy się tej chwili doczekać, a z drugiej czujemy lęk przed ostatecznym rozstaniem. Ani Tom, ani Marta nie mogli rozmawiać z Dannym tak, jakby chcieli, i tak samo nie mogli przy Dannym powiedzieć nic ważnego sobie nawzajem.

– Dokąd mnie zabiorą? – zapytał Danny.

– Dziś w jakieś bezpieczne miejsce, a potem prawdopodobnie na południe.

– Do Londynu?

– Możliwe. Nie wiem.

– Będziesz do mnie pisała, prawda?

– Tak, pewnie na adres twojego nowego kuratora sądowego. Ja nie muszę koniecznie znać twojego nowego nazwiska. Ale ty – kiedy już zostanie załatwiona sprawa nowych papierów – będziesz mógł się przenieść na inny uniwersytet i w ogóle.

Zapadło krótkie milczenie.

– Czy pozwolisz, Danny, że zamienię z Martą parę słów na osobności?

– Jasne.

Marta zrobiła zdziwoną minę, ale natychmiast wstała i poszła do przedpokoju. Zostawili drzwi otwarte.

– Słuchaj, Marta, cała ta historia z przeniesieniem się na inny uniwersytet nie ma sensu. On powinien się znaleźć w szpitalu.

Marta spojrzała przez szparę w drzwiach.

– Robi wrażenie, że jest z nim wszystko w porządku. Naturalnie jak na te okoliczności.

– W tej chwili już jakoś z tego wychodzi, ale było z nim bardzo źle, nie powinien być pozostawiony samemu sobie.

– Dziś w nocy nie będzie sam, ja z nim zostanę. Przekażę im twoją opinię. Nic więcej nie mogę w tej sprawie zrobić i nie mogę też zagwarantować, że się do tego zastosują.

– Tyle musi wobec tego wystarczyć. Ale to jest za mało.

I było za mało, ponieważ za mało powiedział. Starał się osłonić Danny'ego na różne sposoby, których nie miał czasu przemyśleć.

– Tom, czy chcesz powiedzieć, że Danny powinien być w szpitalu na oddziale strzeżonym? Bo jeśli tak, to mam nadzieję, że wiesz, co to znaczy? Że Ministerstwo Spraw Wewnętrznych unieważni jego zwolnienie warunkowe.

– Tak, wiem. – Spojrzał na Danny'ego, który wyraźnie był świadom tego, że go obserwują. – Nie, nie chcę tego powiedzieć.

W ciszy, jaka zaległa, usłyszeli wycie syreny policyjnej. Marta odezwała się pierwsza:

– To oni. Będzie nam potrzebna jakaś kurtka, żeby zasłonić Danny'emu głowę.

Tom przyniósł kurtkę, którą miał na sobie podczas tamtego spaceru nad rzeką. Kiedy zdjął ją z kołka, pokój wypełnił bardzo intensywny zapach mułu rzecznego. Zapomniał oddać kurtkę do prania. Zabrał ją od razu ze sobą na górę.

– O, to wystarczy.

Usłyszeli walenie pięścią w drzwi i Marta poszła je otworzyć. Nagle przedpokój wypełnił się mundurowymi policjantami i trzaskami odbiorników radiowych, które mieli na biodrach.

– Proszę się tą gromadą nie przejmować – powiedział jeden z inspektorów, przepychając się do przodu. – Nie możemy ich całkiem usunąć, ale przynajmniej wyprzemy ich na koniec ulicy. Gdyby były jeszcze jakieś problemy, to proszę dzwonić.

Jeden z policjantów czekał z ręką na półotwartych drzwiach, oglądając się przez ramię.

– Będę musiała iść, Tom – powiedziała Marta, unosząc twarz do pocałowania.

– Wszystkiego dobrego, Danny. – Tom wręczył mu kurtkę. Danny uśmiechnął się.

– Widzę, że zabieranie twojej kurtki weszło mi już w krew.

– Tym razem już ją zatrzymaj.

Marta pobiegła po torbę. Była blada, podniecona i jakby lekko zawstydzona. Tom patrzył, jak policjant ukrywa głowę Danny'ego w fałdach czarnej kurtki.

– Nie przejmuj się, to tylko dopóki nie wsiądziesz do samochodu.

– Idziemy!

Policjant skinął głową w stronę stojącego przy drzwiach mężczyzny. I w tym momencie rzucili się wszyscy w wir kliknięć, warkotów, krzyków i fleszy. Za nimi ruszyła Marta. Tom widział, jak obchodzi samochód i wsiada z drugiej strony, podczas gdy jeden z policjantów, osłaniający ręką głowę Danny'ego, wepchnął go na tylne siedzenie.

Samochód ruszył, eskortowany przez biegnących truchtem dziennikarzy, którzy wykrzykiwali pytania i przykładali obiektywy do okien. Pozostali policjanci próbowali ich odepchnąć. Przepędzeni, rzucili się z powrotem w kierunku Toma, który schował się do domu, zatrzaskując im drzwi przed nosem. Nie widział, jak samochód rusza, przyspiesza i znika za zakrętem drogi.

Z ulicy dochodziły krzyki policjantów usiłujących namówić przedstawicieli prasy, żeby się odsunęli jeszcze dalej. Tom, oparty o drzwi, z oparzoną ręką wciśniętą pod pachę, z trudem łapiąc oddech, jakby właśnie wrócił z wyczerpującego biegu, wpatrywał się w miejsce, w którym jeszcze przed chwilą był Danny.

Rozdział dwudziesty drugi

Po chwili wziął się w garść, poszedł na górę do łazienki i na jakieś dziesięć minut wsadził rękę pod strumień zimnej wody. Naturalnie powinien był to zrobić od razu, ale nawet i teraz mógł choć trochę złagodzić skutki oparzenia. Zakręcił kran i niezdarnie, lewą ręką, zaczął badać chore miejsce.

Palce były spuchnięte i błyszczące, ale najgorzej ucierpiała sama dłoń, pokryta teraz pęcherzami – na ile mógł to ocenić – nieuszkodzonymi. O pójściu do szpitala nie mogło być mowy. Wyobrażał sobie, jakby wyglądały nagłówki gazet, gdyby się zgłosił na ostry dyżur. Nie pozostawało mu nic innego, jak tylko poradzić sobie samemu. Nie było to łatwe, skoro miał do dyspozycji tylko lewą rękę, zdołał jednak jakoś obłożyć oparzone miejsce gazikami i owinąć przezroczystym plastrem. Następnie zażył środki przeciwbólowe i nasenne i położył się do łóżka.

Obudził się późnym rankiem. Leżał jeszcze przez chwilę, mrugając, po czym wygrzebał się z łóżka i osłaniając chorą rękę, podszedł do okna. Przez szczelinę w zasłonach próbował się zorientować, czy fotoreporterzy zniknęli, czy tylko wycofali się na koniec ulicy. Nie zobaczył jednak nikogo, poza panią Broadbent, która wsparta na wózku, będącym w gruncie rzeczy zakamuflowanym balkonikiem w szkocką kratę, wybierała się właśnie na zakupy. Po przejściu kilku metrów zawróciła, podeszła do drzwi i sprawdziła, czy są zamknięte. Tomowi natychmiast przypomniała się inna stara kobieta, która zginęła dlatego, że zrobiła dokładnie to samo.

Resztę poranka i większą część popołudnia spędził, snując się po domu i odsłuchując sekretarkę. Telefon dzwonił mniej więcej co dwie–trzy minuty: byli to albo dziennikarze, którzy chcieli z nim porozmawiać o Dannym, albo znajomi, którzy się dowiedzieli o jego rozstaniu z Lauren. Będzie musiał odpowiedzieć na te telefony, ale teraz nie miał na to najmniejszej ochoty. Osobą, z którą naprawdę chciał porozmawiać, była Marta, ale ona nie dzwoniła, zbyt zajęta przekazywaniem Danny'ego temu, kto miał przejąć nad nim pieczę w następnym etapie jego życia. W następnej tożsamości.

Po lunchu próbował trochę pracować nad książką, ale ani nie mógł długo utrzymać pióra, ani przez dłuższy czas pisać na komputerze. Tak naprawdę chciał od tego wszystkiego uciec, pod wieczór wyszedł więc tylnymi drzwiami z domu i udał się nadrzeczną ścieżką do miasta. Tam wsiadł w pociąg do Alnmouth, gdzie spędził noc. Rano wynajął samochód i wyruszył do wału Hadriana.

Miał w planie iść murem na zachód, z Housesteads ponad Cuddy's Crags, Hotbanks Crags, Milking Gap, wysoko ponad stalowoszarymi wodami Crag Lough aż do Peel Crags i Windshields. Ale nim znalazł się w Vindolands, rozszalała się wichura. Jakiś czas brnął przed siebie, chwiejąc się w porywach wiatru, ale wicher groził zdmuchnięciem go z muru i wobec tego, pospołu z innymi zawiedzionymi spacerowiczami, był zmuszony zawrócić.

Zmienił więc plany i pojechał na wybrzeże, gdzie zaparkował samochód, i poszedł na piechotę groblą do Holy Island. Był odpływ. Po obu stronach drogi rozciągały się na przestrzeni wielu kilometrów płaskie, równe, lśniące połacie piasku. Trudno było uwierzyć, że podczas przypływu grunt, po którym stąpał, znajdował się cztery i pół metra pod wodą.

Grobla okazała się dłuższa, niż ją zapamiętał. Zanim dotarł do przydrożnego znaku „Witamy w Holy Island, Lindisfarne", był cały spocony. Wdrapał się na strome zbocze po drugiej stronie drogi, idąc ścieżką biegnącą wśród piaszczystych wydm, zwieńczonych pióropuszami zbielałych traw.

Obszedł dokoła całą wyspę, przyglądając się kormoranom, siedzącym na skałach od strony morza i suszącym zwieszone czarne skrzydła. Tysiąc trzysta lat temu średniowieczni skrybowie Eadfirth i Billfirth wykorzystywali motyw tych ptaków do iluminowania ksiąg Ewangelii z Lindisfarne. Grube, giętkie, wężowe szyje kormoranów oplatały pierwsze strony św. Mateusza i św. Jana. Choć z pewnością zarówno wtedy, jak i teraz czarne sylwetki ptaków na tle nieba musiały się wydawać złowrogimi heroldami śmierci.

W porze lunchu poszedł do najbliższego pubu, gdzie zjadł kanapki i wypił trochę za dużo piwa, a potem siedział przy kominku, rozmawiając z małżeństwem w średnim wieku, które też spędzało weekend na wycieczce i które, tak jak on, musiało zrezygnować ze swoich pierwotnych planów przejścia wałem Hadriana. W końcu małżeństwo wyszło, zapowiadając, że ponownie spróbują jutro, a Tom siedział jeszcze jakiś czas przy kominku, oddając się błogim rozmyślaniom i za sprawą znieczulającego działania ciepła powoli zapadając w drzemkę.

Kiedy wreszcie wyszedł z pubu, stwierdził, że przez wyspę przeleciała wichura, a wydmy są przesłonięte dryfującymi oparami. Posuwał się powoli – podczas długiego siedzenia przy kominku zesztywniały mu stawy, więc chwilami ledwie kuśtykał. Sztorm spowodował spadek temperatury i ręka zaczęła go piec i boleć.

Nie doszedł jeszcze do połowy grobli, kiedy mgła zgęstniała. Wyspa zniknęła, a brzeg przed nim przypominał zaledwie ciemną smugę we wszechogarniającej bieli. Widać było jeszcze tylko w połowie drogi, w odległości jakichś stu metrów, szopę na palach. Zastanawiał się, czy nie powinien zawrócić, ale to by oznaczało konieczność zanocowania na wyspie i chociaż o tej porze roku dostanie wolnego pokoju nie stanowiłoby problemu, to jednak na samą myśl o tym odczuwał coś w rodzaju klaustrofobii. Patrząc ponad wodą, usiłował ocenić, ile czasu zostało jeszcze do przypływu. Poziom morza musiałby wzrosnąć jeszcze o jakieś trzy metry, żeby chociaż oblizać brzegi grobli. Masa czasu.

Mgła była wilgotna. Na drobnych włoskach jego wełnianego swetra – mimo że nie padało – osiadły drobne kropelki wody. Od czasu do czasu fala unosiła i wyrzucała na plażę masy morszczynów, czemu towarzyszył zjadliwy smród słonej wody i zgnilizny. Jego kroki dźwięczały echem, jakby się odbijały od ściany mgły, a potem wracały do niego. Bez trudu mógł sobie wyobrazić, że ktoś idzie w jego stronę. Było to idealne miejsce na niespodziewane, graniczące z cudem spotkanie. Nie zdziwiłby się wcale, gdyby nagle zobaczył Danny'ego, jak się wyłania z morskiej mgły i idzie tym swoim dziwnym krokiem, z pochyloną głową, z rękami wetkniętymi głęboko w kieszenie, jakby miał Bóg wie ile miejsca. Jakby szedł przez jakiś wewnętrzny krajobraz, bo i gdzie w ciasnych przestrzeniach swego wychowania miałby się nauczyć takiego sposobu chodzenia?

Tom zatrzymał się, żeby popatrzeć na wodę. Myślał o Dannym – że zwyciężył, że w końcu tak jak Angus, jak bez wątpienia wiele innych osób, których nazwisk nie znał, i on, Tom, odstąpił dla niego od zasad. Dwa dni temu – tylko dwa dni, choć wydawało się, że znacznie dawniej – był świadkiem, jak Danny popada w stan graniczący z chorobą psychiczną, a ogólnikowy sposób, w jaki ostrzegł Martę, na pewno nie był wystarczający. Wiedział, że gdyby kiedyś w przyszłości Danny wzniecił pożar, w którym by ktoś zginął, to świadomość jego milczenia tamtej nocy prześladowałaby go do końca życia. Dobrze wiedział, co powinien był zrobić. Tyle tylko, że w kluczowym momencie Danny na niego spojrzał i Tom nie miał siły go zdradzić.

U jego stóp zasyczała uwikłana w morszczyny fala. Rozejrzał się dokoła i stwierdził, że przypływ naciera w niebywałym tempie i że ostatnie kilka metrów piasku znika szybciej, niż mógłby sobie wyobrazić. Było już za późno na to, żeby iść w stronę szopy, i o wiele za późno na to, żeby wracać na wyspę. Nie miał wyboru, jak tylko brnąć przed siebie. Serce tłukło mu się w piersi jak w klatce; puścił się biegiem. Masy wody, ozdobione koronkami piany, zalewały drogę przed nim. Biegł, rozchlapując wodę, zatykało go z wysiłku.

I wtedy, nagle okazało się, że droga przed nim znów jest sucha. Zwolnił i zaczął iść na drżących nogach z uczuciem, że niepotrzebnie spanikował. Chociaż kiedy się obejrzał, zobaczył, że droga, którą za sobą zostawił, ginie w morzu. Cały środek grobli zniknął pod wodą. Tylko stojący wysoko na palach szałas z minuty na minutę, w miarę jak ustępowały otaczające Lindisfarne mgły, stawał się coraz wyraźniejszy.

*

211

W tydzień po powrocie obudził Toma nowy hałas. Żarówka w kuchni huśtała się na końcu kabla. Podszedł do drzwi frontowych i wyjrzał, ale nic nie zauważył.

Po śniadaniu zapuścił się w głąb mrocznej krainy magazynów, szop i fabryk i dostrzegł jaskrawożółty dźwig z dyndającą z wysięgnika wielką metalową kulą. W pewnym momencie dźwig cofnął się, kula zakołysała się i uderzyła w bok budynku, wprawiając łańcuch w spazmatyczne drgania. Z otwartej rany posypał się tynk i pył ceglany. Dźwig znowu cofnął się niezdarnie. Kolejny wstrząs i kolejna sekwencja drgań, przenoszących się na łańcuch. Tym razem zwalił się potężny kawał muru.

Następne kilka tygodni Tom spędził w sąsiedztwie placu budowy, trzymając drzwi i okna pozamykane przed kurzem i hałasem. O dziwo praca, która go otaczała, podnosiła go na duchu. Systematycznie pisał teraz książkę, zdumiony, że w ogóle może pracować, ponieważ ilekroć podnosił wzrok znad monitora, był świadom nieobecności Lauren. Wkrótce będzie musiał zdecydować, co zrobić z domem, co zrobić ze sobą, ale przede wszystkim – książką.

Marta czytała ją rozdział po rozdziale, komentowała i znów czytała następną wersję. Spotykali się teraz kilka razy w tygodniu i zwykle brali kolację na wynos z dużą ilością piwa. Kiedy przychodziła Marta, dom nie wydawał się taki pusty. Zawsze jednak kiedy zostawał sam, dopadała go nieobecność, chociaż w miarę upływu czasu coraz trudniej mu było powiedzieć, czy chodziło o nieobecność Lauren czy Marty.

Lauren, jak się dowiedział od Roddy'ego i Angeli, którzy byli z nią w stałym kontakcie, żyła z jakimś mężczyzną imieniem Francis. Nastąpiło to tak szybko, że z całą pewnością Francis musiał już od jakiegoś czasu czekać za kulisami na swoją kolej. Ale przynajmniej pragnienie Lauren, by w nieskrępowany sposób cieszyć się swoim nowym życiem, przyspieszyło rozwód. Jednak dopiero kiedy Tom dostał do ręki wyrok rozwodowy, uwierzył, że jest wolny.

Nadeszła zima, lodowate wiatry od rzeki przywiewały chmury kąsającego śniegu. Przyjemność wciągania starego, ciepłego, sprawdzonego swetra z każdym dniem stawała się coraz bardziej oczywista. Nadeszła chwila, kiedy wieczorne rozmowy kończyły się długim milczeniem i powrót Marty na noc do domu wydawał się czymś głupim. Przyjęli swój związek w sposób naturalny, nie uważając, że musi trwać wiecznie, chociaż pasowali do siebie i fizycznie, i pod każdym innym względem zadziwiająco dobrze.

Stopniowo życie zaczęło się układać według nowej rutyny. W okolicach ulicy Toma jak grzyby po deszczu wyrastały nowe sklepy, restauracje i hotele. Nawet rzeka się zmieniła. Rozpadające się mola i nabrzeża zostały rozebrane, położono nowe chodniki, posadzono drzewa. Pewnego wieczoru, patrząc ponad balustradą na miejsce, w którym dawniej było cmentarzysko wózków sklepowych, Tom zobaczył stworzenie, które początkowo wziął za dużego szczura, a które jakoś dziwnie podskakiwało wzdłuż brzegu. Pomyślał jednak, że zwierzę jest za duże, a poza tym szczury nie podskakują. Do pierwszej dołączyła druga ciemna sylwetka. Dostrzegł mokrą sierść, sterczącą jak kolce, a także węszący w powietrzu wilgotny nos. Wydry. Wprost nie mógł uwierzyć: wydry w Tyne.

Przez cały ten czas Danny nie pisał ani nie dzwonił. Marta miała od czasu do czasu jakieś wiadomości o nim, ale nie wprost, tylko od jego nowego kuratora sądowego. Tom nie był zdziwiony tym milczeniem. Właśnie to, bardziej niż „zagrywka" z wrzucaniem kaset do ognia, było sposobem Danny'ego na palenie taśm.

Ale pewnego dnia, całkiem niespodziewanie, znów go zobaczył. Pojechał na Uniwersytet Wessex, gdzie miał wygłosić odczyt na temat Programu Resocjalizacji Młodzieży. Zjawił się późnym popołudniem i zostawił torbę w akademiku, gdzie miał nocować i skąd zabrano go prosto do gmachu uczelni.

Sala była ogromna, z podium znacznie powyżej poziomu podłogi. Światła były dla Toma zbyt ostre i początkowo w ogóle nie widział słuchaczy, tylko zbiorowisko zamglonych twarzy. Stopniowo jednak wzrok zaadaptował się do jaskrawego oświetlenia i Tom odniósł wrażenie, że po lewej stronie na końcu drugiego rzędu widzi znajomą twarz.

Danny. Albo młody mężczyzna podobny do Danny'ego. Nie był pewien.

Siedział, popijając wodę, słuchając wprowadzenia i zastanawiając się nad akustyką sali i nad jakością mikrofonów. Kiedy wstał, żeby zacząć mówić, rozejrzał się, usiłując przeniknąć wzrokiem ciemności, jednak bezskutecznie. Postać pozostała w cieniu, nieuchwytna. Mówiąc, zapomniał o Dannym i skupił się na nawiązaniu kontaktu ze swoim wielkim, zainteresowanym, ale o siódmej trzydzieści wieczorem nieuchronnie zmęczonym audytorium.

Wykład poszedł dobrze. Podobne odczyty wygłaszał już wielokrotnie, więc i tym razem jechał niejako na automatycznym pilocie. Kiedy przyszedł czas na pytania, poprosił o zapalenie górnych świateł, w których blasku zobaczył – tak, ponad wszelką wątpliwość – Danny'ego. Był prawie pewien, a mimo to przeżył szok. Odpowiadając na pierwsze pytanie, zająknął się lekko, ale zaraz się pozbierał.

Po pytaniach przy stole w foyer podano lampkę wina. Rozmawiał z wieloma osobami, które zadawały mu pytania bądź komentowały odczyt, cały czas świadom obecności Danny'ego, który stał oparty o tablicę ogłoszeń, na tle wielokolorowych kawałków papieru, tworzących wokół jego głowy układankę. Dość agresywna młoda kobieta o kruczoczarnych włosach oskarżyła Toma o protekcjonalny ton wobec ludzi, o których mówił. Cały odczyt wygłosił – powiedziała – jakby zupełnie nie był świadom tego, że na sali mogły się znajdować osoby mające na swoim koncie epizod z zakładami poprawczymi. Tom wyjaśnił jej grzecznie, że nie przyjmował żadnych założeń w stosunku do swojego audytorium poza tym jednym, że zebrani chcą go słuchać.

– Pan ich eksploatuje – powiedziała agresywnie dziewczyna z kolczykiem w nosie.

– Nie uważam, żeby ich eksploatował – powiedział Danny, który właśnie do nich podszedł.

– Ciekawe, skąd wiesz? – Spojrzała Danny'emu prosto w oczy, a kiedy nie mrugnął ani się nie ruszył, odwróciła się na pięcie i odeszła.

– Dostała sześć miesięcy za handel narkotykami – wyjaśnił Danny. – Z tego głównie jest tu znana.

Tom rozejrzał się dokoła i stwierdził, że słuchacze zaczynają się rozchodzić. Pożegnał się ze swoim gospodarzem, który wyraził niepokój, że Tom nie trafi z powrotem do akademika.

– Nie ma problemu – uspokoił go Danny. – Ja mu pokażę drogę.
Wyszli do ogrodu. Kilkaset metrów dalej bar studencki pełen
był świateł i muzyki. Ludzie siedzieli na zewnątrz przy stolikach;
inni na trawie, którą uprzednio sprawdzali.

Wcześniej była ulewa, która wzmogła zapach bzów. Danny na-
giął gałązkę, spuszczając sobie na twarz i włosy kaskadę kropel.

– Co u ciebie? – spytał, zanim Tom zdążył się odezwać.

– Całkiem dobrze, a u ciebie?

– Nie najgorzej.

I żadnych wyjaśnień przyczyn tak długiego milczenia, których
zresztą Tom nie oczekiwał. Powróciła atmosfera intymności ich
pierwszego spotkania.

– Na jakim etapie studiów jesteś?

– W tym roku egzaminy końcowe.

– A potem?

– Będę robił magisterium z pisania. Było trochę mało czasu na
skompletowanie dokumentów, ale Angus okazał się bardzo pomocny.

– Angus MacDonald? Skontaktowałeś się z nim?

Odczuł wyraźne ukłucie zazdrości, które go zdumiało. Był przekonany, że nie jest zdolny do takich reakcji, a jednak to, co w tej
chwili odczuwał, niewątpliwie było zazdrością. Tak jak byłaby za-
zdrosna Marta, gdyby jej powiedział o tym spotkaniu. Po zastano-
wieniu zdecydował się udać rozbawienie. Na tym właśnie polegał
dar Danny'ego.

– Chodziłem na jeden z jego kursów – mówił właśnie Danny. –
Bardzo pożyteczny. – Ale nie wyjaśnił, dlaczego tak uważa.

Tom odwrócił się w stronę, z której przyszli. W budynku dydak-
tycznym właśnie gaszono światła. Na tle nocnego nieba budynek
wyglądał jak wielki tonący liniowiec, którego pokłady gasły jeden
po drugim, zanim wszystko pochłonęła ciemność.

– Nie będę cię pytał o twoje nowe nazwisko – powiedział
z uśmiechem.

– Lepiej nie. W każdym razie podjąłem pewną decyzję. – Patrzył
w kierunku baru z jego tłumem i muzyką. – Że gdyby się to po-
wtórzyło, to nie będę uciekał. Musi być wreszcie czas, kiedy sobie
powiemy: „Nie, koniec z uciekaniem".

Tom skinął głową.

– Słusznie.

– Hmm. – Na twarzy Danny'ego pojawił się zagadkowy uśmiech. – Miło było znów cię zobaczyć.

– A tak naprawdę, jak się miewasz?

– Radzę sobie. – Danny zawahał się. – Już jej nie zwalczam. Zyskała sobie prawo do całkiem sporej liczby moich szarych komórek.

Doszli do rozwidlenia drogi.

– Ty mieszkasz tam – wskazał. – Trzymaj się ścieżki, zaprowadzi cię wprost do drzwi frontowych.

Uścisnęli sobie ręce. Tom patrzył, jak Danny idzie przez trawnik do baru. Kiedy wszedł na taras, siedząca przy jednym ze stolików grupka młodzieży zawołała go po imieniu. Tom wmówił sobie, że tego nie słyszał. Danny podszedł do przyjaciół i jedna z dziewcząt go pocałowała, a młody mężczyzna władczym ruchem objął go za ramiona. Tom zastanawiał się, czy którekolwiek z nich wiedziało, kim Danny jest.

Ale nie. Danny nauczyłby się brać to, na co miał ochotę, i zachowywać dystans. Zdolność uczenia się Danny'ego nie miała granic.

I tak musi być – pomyślał Tom. Był świadkiem sukcesu – niepewnego, ukrytego w cieniu, niejednoznacznego, ale wartego osiągnięcia. Jedynego możliwego dobrego wyniku.

Zapach bzu był obezwładniający. Tom na chwilę zamknął oczy, odcinając się od widoku Danny'ego i jego przyjaciół. Zamiast tego zobaczył z niemal wizjonerską jasnością kobietę o białych włosach, idącą ogrodową ścieżką w towarzystwie pięciu albo sześciu kotów, które biegły za nią z uniesionymi w górę w powitalnym geście ogonami. Kobieta, patrząc w słońce, którego prawie nie widziała, i rozkoszując się jego ciepłem na twarzy, podniosła do ust garść suchych płatków kukurydzianych.

Uwolniony od wszelkich zobowiązań, stał w milczeniu pod krzakami bzu, wspominając Lizzie Parks.